DE STUDENTE

ELISE WUYTS
DE STUDENTE

A wonderful fact to reflect upon,
that every human creature is constituted to be
that profound secret and mystery to every other
- Charles Dickens

You can never imagine what it is to have a man's force
of genius in you
and yet to suffer the slavery of being a girl
- George Eliot

Proloog

Dokters denken graag van zichzelf dat er niets is waar ze niet goed in zijn. Het is een arrogantie die even diep zit als onze liefde voor de wetenschap. Sommigen proberen er als student nog tegen te vechten, maar uiteindelijk vallen we allen ten prooi aan dezelfde grootheidswaanzin.

Wat de buitenstaander echter niet mag vergeten, is dat het een inherent tegennatuurlijke daad is om een scalpel in de hand te nemen en in warm, levend vlees te snijden. Om dat te overwinnen moeten we ons boven de natuur en de wetten van de mens stellen. En dat vergt een heel ander soort moed dan die van soldaten op het slagveld. Wij dragen onze zelfzekerheid als een harnas. Het beschermt ons tegen twijfels en trillende handen, want zonder zelfzekerheid maken we fouten en als we fouten maken, sterven er mensen.

Als we dan op het eind van de dag het gevoel hebben dat geen enkele wet nog voor ons geldt, moet u ons dat vergeven. U zult er blij om zijn wanneer u bij ons op de tafel komt te liggen. Daar hangt uw leven af van onze vingervlugheid. Met alle vooruitgang die de wetenschap vandaag, in 1882, al heeft bereikt, hebben we nog een lange weg af te leggen.

Eens behoorde ook ik tot de categorie van dokters die zich boven de wet achten. Maar nu de jaren steeds sneller door mijn vingers beginnen te glippen en ik geconfronteerd word met mijn eigen verouderende lichaam, moet ik toegeven dat ook wij slechts mensen zijn. Hoe graag we het onszelf ook wijsmaken, we zijn niet onsterfelijk of onfeilbaar. En de natuur heeft vaak een handige manier om ons daaraan te herinneren.

Mijn waarschuwing – en de reden dat ik momenteel mijn gedachten in tekst probeer te gieten – kwam in de vorm van een vrouw. Dat was achteraf gezien niet zo verwonderlijk. Niets maakt de tong losser en het hart lichter dan de aanblik van een prachtige vrouw vol levenslust. Maar toen onze spreekwoordelijke god besloot om Eva te scheppen, besefte hij dat hij dit magnifieke wezen niet te veel macht mocht geven. Zo komt het helaas dat een knappe vrouw met hersens een zeldzaam goed is. Het is dan ook 's mans plicht om zulke schatten aan de wereld bekend te maken. Dat is waarom ik me op mijn leeftijd nog aan de literaire kunsten moet wagen.

Ik heb altijd een passie voor literatuur gehad. Ze was mijn eerste liefde en is voor mij altijd verbonden geweest met mijn tweede en – laten we eerlijk zijn – lucratievere liefde: de geneeskunde. Nu is er wel een boek dat mijn naam draagt, maar ik heb nooit eerder een werk uitgebracht dat geen strikt wetenschappelijke doeleinden had.

U moet het een oude Dokter vergeven zo laat nog een carrièrewending te maken. Alleen als kunstenaar kan ik deze vrouw adequaat omschrijven. Want ze zou nooit gevat kunnen worden in feiten of klinische omschrijvingen. Daar ligt dan ook de kracht van de literatuur. Waar een dokter zich moet beperken tot de realiteit, kan een schrijver met een pennenstreek nieuw leven scheppen, van godheden tot heiligen. Of zij werkelijk bestaan hebben, is niet van belang.

De vrouw over wie ik het heb was godin noch heilige, al had ze me daar gemakkelijk van kunnen overtuigen. Ze was simpelweg iemand die haar kans zag om mijn leven overhoop te gooien.

Nu ik begonnen ben met schrijven, heb ik ontdekt dat dit weer een ander soort moed vergt. Iedere zin die ik neerpen bevat een arsenaal aan onzekerheden. Meer nog dan bij mijn wetenschappelijke publicaties, toen ik ervan overtuigd was dat elke criticus eropuit was om mij onderuit te halen. Die angst gaat nooit helemaal weg.

Maar nu ik mezelf als een man op leeftijd beschouw, schijnen mijn neurosen alleen maar te zijn toegenomen. Het is meer dan twintig jaar geleden dat ik iets aan de buitenwereld heb laten zien. Sterker nog, het is meer dan twintig jaar geleden dat ik mij in het openbaar heb vertoond. Ik zou graag zeggen dat dit een bewuste keuze was, maar in werkelijkheid was het mijn grootheidswaanzin die me hiertoe gebracht heeft.

Ik heb me laten vertellen dat het toegeven van je eigen fouten de eerste stap is op het pad naar genezing. Hoewel ik mezelf niet in de waan laat dat genezing nog mogelijk is, voel ik wel dat het moment voor eerlijkheid is aangebroken.

Het geschreven woord is daar een bijzonder geschikt medium voor. Ik moet niemand in de ogen kijken terwijl ik zaken neerpen waarvan ik had gedacht ze naar mijn graf te zullen meenemen. Ik moet geen beschuldigende blikken of opgetrokken neuzen incasseren. Hier ben ik alleen. Niemand zal dit werk beoordelen of bekritiseren, en als ze dat toch doen zal ik er al lang niet meer zijn. Dat zou een geruststelling moeten zijn, maar op dit moment is het vooral een bevestiging van mijn huidige, haast tastbare eenzaamheid.

Na al die jaren zou ik geleerd moeten hebben om alleen te zijn. In werkelijkheid went men echter veel sneller aan gezelschap dan aan afzondering. Ik heb jaren tijd gehad om mijn afzondering te oefenen en te perfectioneren, en na drie luttele maanden van vrouwelijk gezelschap ben ik totaal vergeten hoe het voelde.

De vrouw over wie ik spreek is iemand die je aandacht volledig kan opeisen. Het is uitzonderlijk om in onze maatschappij iemand te ontmoeten die zich niet neerlegt bij de traditionele rollenverdeling. Ze koos niet voor een beroep, maar voor een roeping, en weigerde zich neer te leggen bij deze mannenwereld. Het was die vurigheid die maakte dat ze al snel een plaats in mijn leven innam. En dat ze daarna een leegte achterliet die moeilijk te vullen was.

Voor ik haar verder op een voetstuk zet, is een korte introductie op zijn plaats. Ik ben wat omschreven kan worden als een kluizenaar. Een levenswijze die een luxe is van de tijd waarin we leven. Afgezien van de occasionele opgetrokken wenkbrauw, stelt niemand in de Londense hoge kringen zich vragen bij een gegoede Britse dokter die het eenzame leven op het platteland verkiest boven het publieke leven. Mijn relatieve bekendheid in de wereld van de anatomische wetenschappen betekent dat ik mezelf iets meer kan permitteren. Mannen in mijn vak krijgen wel vaker de stempel 'excentriekeling'. Het helpt dat mijn leerboek anatomie door elke student geneeskunde in het land wordt gebruikt. En hoewel men zich afvraagt waarom mijn beloofde volgende boek al twintig jaar op zich laat wachten, valt niemand me ermee lastig. Mijn collega's leiden immers de aandacht af terwijl ze vruchteloos blijven proberen om iets van even hoge kwaliteit te produceren.

Ik wist al op jonge leeftijd dat de geneeskunde mijn roeping was. Dit tot groot ongenoegen van mijn vader, die wenste dat ik na zijn dood het landgoed zou beheren. Maar zodra mijn leeftijd het toeliet, nam ik permanent mijn intrek in ons Londens huis om van daaruit mijn opleiding te starten. Ik stortte me volledig op mijn studie en onderbrak die enkel om in de minder mooie buurten van de stad het dubieuze nachtleven in te duiken.

Mijn jongere, arrogantere zelf is nooit geïnteresseerd geweest in irrelevante zaken als trouwen of kinderen krijgen. In mijn ogen koos je voor je werk of voor je partner. En ik was niet van plan om mijn talent te verspillen aan een vrouw wiens lichaam wel verandert maar met wie de betrekkingen hetzelfde blijven. Ik kan niet zeggen dat ik na mijn onstuimige jeugd de bewuste beslissing heb genomen om permanent voor mijn werk te kiezen, maar zo is het wel gegaan.

Men zou me kunnen vragen of ik geen spijt heb van die beslissing. Daar kan ik geen antwoord op geven. Sommige dagen word ik wakker en verlang ik naar een warm lichaam naast het mijne, of sta ik in mijn tuin en wens ik dat ik een zoon had om mee te spelen. Maar andere dagen ben ik volkomen tevreden met mijn eenvoudige leven en is het moeilijk om mezelf voor te stellen als een gelukkig familieman. Uiteindelijk maakt het allemaal weinig uit. Ik heb mijn keuzes gemaakt.

Al heb ik het grootste deel van mijn leven vergooid door me te laten leiden door mijn trots, toch kan ik in dit tranendal iets achterlaten dat mijn naam draagt. Velen hebben mijn boek gebruikt in hun eigen studies en mijn naam zal niet snel vergeten worden. Dat is meer dan de meeste mensen kunnen zeggen, die hun leven spenderen in de veilige anonimiteit van de grijze massa.

Het boek dat u nu aan het lezen bent, is het laatste dat van mijn hand zal verschijnen. Ik besef maar al te goed dat mijn tijd op is en dat mijn ideeën niet meer zijn wat ze eens waren.

Mij is het ergste lot toegevallen: ik ben oud geworden. Er is niets erger dan merken dat je lichaam zijn beste tijd heeft gehad en weten dat je geest spoedig zal volgen. Daar kan een god niets aan veranderen. Tussendoor gezegd, ik gebruik de naam van de heer wel degelijk ijdel, en ik ben principieel tegen het aanduiden van een mythologisch wezen met een hoofdletter. Wanneer ik sterf, wil ik dat het eindigt. Het idee van een leven na de dood lijkt me eerder een straf dan een beloning. Alsof god ons zegt dat één leven doorploeteren niet genoeg is, maar slechts de eerste stap op een pad zonder einde in zicht. Dus hou ik liever vast aan het idee dat er hierna niets meer is; geen bewustzijn, geen reïncarnatie, geen geesten.

Ik laat me echter weer meeslepen door kwesties die iedereen steeds wil bespreken, maar waarbij niemand werkelijk de mening van de andere wilt horen. U zal me niet horen beweren dat ik daar anders in was. Ik ben altijd al een man van grote woorden geweest. Het is een harnas dat me over de jaren even goed is gaan passen als mijn eigen huid. Nu ben ik voor het eerst in lange tijd weer blij met mijn grote woorden. Want het verhaal dat ik wil vertellen is belangrijk, mogelijk het belangrijkste dat ik ooit zal vertellen. Niet omdat het zo uitzonderlijk is, of omdat er bijzondere dingen gebeuren. Het is belangrijk omdat het echt is.

U moet weten, ik kom niet erg veel vrouwen tegen in het dagelijkse leven. De avonden dat ik telkens een nieuw meisje ging oppikken zijn al lang voorbij. Tegenwoordig zie ik enkel nog mijn vaste dienstmeid, die voor me kookt en het huis schoon houdt. Als ik dan in mijn vleselijke lusten moet voorzien, gebruik ik mijn contacten in Londen om een jong en onschuldig ding te laten overkomen voor de nacht. Meestal ineens vergezeld van een vers lijk om te ontleden. Ik ben tenslotte een praktisch man. Die combinatie maakt me niet populair bij de Londense hoerenhuizen, is me verteld.

Mijn liefde voor vrouwen zal wellicht niemand verbazen, maar misschien behoeft mijn voorkeur voor het gezelschap van de doden wat uitleg. Ieder van ons is grotendeels identiek, moet u beseffen. We hebben een hart, twee nieren, twee longen, een lever en de meesten onder ons hebben ook een normaal brein. En toch zijn we allemaal net iets anders. Ik zou het kunnen hebben over haarkleur of neusvorm, maar stelt u zich eens voor hoe anders we zijn als de huid eenmaal wordt weggepeld. Ons lichaam draagt het verleden met zich mee. De lever toont onverbiddelijk hoeveel alcohol we hebben genuttigd, onze botten laten schromelijk zien waar ze gebroken zijn geweest en onze vetverdeling kan vertellen hoeveel copieuze maaltijden we achter de kiezen hebben. Het lichaam liegt niet. Het is een puzzel die klaarligt om opgelost te worden door eenieder die verder dan het oppervlak wenst te kijken. U kan begrijpen wat voor machtsroes het geeft om het lichaam op deze manier te kunnen aanschouwen.

Dat is wat ik mijn studenten probeer wijs te maken als ze komen bedelen om goede raad. Het gaat niet enkel om de expertise, maar om de absolute overtuiging dat je bezig bent met je roeping en dat jij de allerbeste zal worden die de wereld ooit heeft gezien. En om vervolgens niet ten onder te gaan als het succes naar je hoofd stijgt.

Ondanks mijn zelfopgelegde ballingschap wisten sommige studenten me toch te vinden. Af en toe kwam er een onschuldige jongeman langs die om de een of andere reden niet meer welkom was aan de universiteit, of het gevoel had dat hij daar niet werd geapprecieerd. Afhankelijk van mijn humeur liet ik zulke types dan ook daadwerkelijk binnen voor een aantal dagen, op voorwaarde dat ze me iets te bieden hadden. De ene had een goede voorleesstem, de andere kon piano spelen en af en toe kwam er eentje met volle lippen en een verlangen om op zijn knieën te gaan zitten. Daar zei ik meestal geen nee tegen, want een gewillige mond is een gewillige mond.

Eens om de zoveel tijd zat er een jonge dokter tussen die werkelijk talent had met een scalpel en die leerde ik wat ik kon, in de hoop dat hij mijn omhooggevallen collega's een lesje in nederigheid zou leren. Bij de rest van de jongemannen voelde ik me genoodzaakt om hen met beide voeten terug op de grond te zetten. Het leven is geen aangename affaire, zeker niet voor zij die niet getalenteerd genoeg zijn. In de loop der jaren heb ik al menig student die met zijn onbezonnen hart op de tong liep, teruggehaald naar de realiteit en met vochtige ogen aan de deur gezet. Tact is niet een van mijn vele talenten.

Dit verhaal begint ook bij een student. Groot was mijn verbazing echter toen ik niet een slungelachtige man aantrof, maar een jonge, bevallige vrouw. Een vrouw die zich introduceerde als een studente van de geneeskunde die in Londen na haar studies nergens de kans kreeg om zich te bewijzen als dokter. Mijn nieuwsgierigheid was geprikkeld. Dat ze een totale schoonheid was, kon ook geen kwaad. In het diepst van mijn verrotte ziel verkneukelde ik me al bij de gedachte aan al dat jong vlees dat daar op mijn stoep stond, klaar om op elk gebied ontmaagd te worden. Ik aarzelde niet om haar binnen te laten.

Die beslissing vormde het begin van een geheel nieuwe periode in mijn lange en reeds afgeschreven leven: de komst van de Studente.

1. De Studente

De man voor me op de tafel vertoont alle tekenen van een rijkelijk leven. Zijn lever bevindt zich in een vergevorderd stadium van vervetting. Zijn longen zagen er mogelijks ooit uit als longen, maar doen nu eerder denken aan zwartgeblakerd hout. De spieren in zijn benen tonen een hoge mate van afbraak, wat suggereert dat hij zijn corpulente lichaam de laatste jaren in een rolstoel heeft laten rondrijden. Mijn oorspronkelijke hypothese dat de man is bezweken aan leverfalen lijkt niet correct. Hoewel ongezond, was de lever nog niet klaar om de handschoen in de ring te gooien. Geen enkel orgaan vertoont dergelijke stress dat hij eraan bezweken kan zijn. Wat waarschijnlijk de reden is dat de familie mij gevraagd heeft om eens een kijkje te nemen aan de binnenkant van hun geliefde oom. Er zijn geen mysterieuze breuken of blauwe plekken te vinden. Dus waaraan is deze man dan wel gestorven?

Natuurlijk klopt er op dat moment iemand aan de deur.

God, wat haat ik dat. Op zeldzame momenten als deze, als ik heerlijk verdiept ben in mijn werk, komt er steevast iets de rust in mijn hoofd verstoren. De postbode, de buurvrouw of een nieuwe student onderbreekt mijn conversatie met de doden en haalt me terug naar de ellendige wereld van nu. Hoe goed weten die ergerlijke mensen toch altijd wanneer ik op het punt sta om een doorbraak te maken. Een doorbraak die nu onherroepelijk is uitgesteld door de opdringerige persoon aan de andere kant van de voordeur, van wie ik ten zeerste hoopte dat hij de binnenkant nooit zou zien.

Ik rechtte mijn rug met een doffe krak en draaide me weg van de rijke oom, kreunend en steunend door de ouderdom die me onophoudelijk bekogelde met ongemakken die een echte man zou moeten kunnen verbijten. Dat ik blijkbaar geen echte man ben, is iets wat ik al lang had geaccepteerd.

Onderweg naar de voordeur probeerde ik te bedenken wie er had durven aankloppen. Het was te laat voor de postbode en de buren wisten intussen beter dan me te storen. Wellicht ging het om een nieuwe student, het was al even geleden dat ik er een had ontvangen. Ik besloot om de situatie eerst rustig door het raam te bekijken. In plaats van de nerveuze jongen die ik verwachtte, stond daar echter een bevallige vrouw, nieuwsgierig om zich heen kijkend. Laten we zeggen dat ik al voor veel minder de deur heb geopend.

Nadat ik al dat vrouwelijk schoon grondig bestudeerd had, besloot ik dat het tijd was voor een intiemere kennismaking. Ik ontgrendelde de vele sloten die mijn deur trots sierden – een achterdochtige man kan nooit voorzichtig genoeg zijn – en zwaaide de deur wijd open. Ze schrok van de plotse beweging maar herstelde zich vlug. Een voorzichtige glimlach brak haar jonge gezicht in twee. Ik kon het niet laten me even in te beelden wat ze nu zag. Een grijzende man met een – dat kan ik niet ontkennen – welgevormd lichaam en misschien iets meer rimpels dan hij graag zou hebben. Sport doet wonderen, zegt men, maar je mag geen mirakels verwachten. Er is echter niets waar een jonge vrouw meer naar verlangt dan een oudere mentor die haar door de uitgebreide bibliotheken van de liefde loodst. Althans, dat maakte ik mezelf graag wijs.

'Goedendag, dokter…'

Hier hief ik mijn hand op om haar de mond te snoeren.

'Ik ken mijn eigen naam, dankjewel, jij mag het houden op dokter.'

Weer dat onthutste gezicht, met deze keer een lichte blos die haar er nog jonger deed uitzien. Ik vocht tegen een grijns die niet had misstaan in een van de penny dreadful magazines waar ik me af en toe aan tegoed deed.

'Wel dan, Dokter, ik ben hier omdat ik, ondanks mijn diploma, geen werk kan vinden in de medische wereld, enkel en alleen vanwege mijn geslacht. U lijkt me echter iemand die zich niet veel aantrekt van die conservatieve opvattingen, dus ik had gehoopt dat u me zou aannemen als nieuwe student.'

Mijn geoefend oor kon de onzekerheid in haar stem detecteren. Ze was zenuwachtig, als het jonge kuikentje dat ze was, het nest ontgroeid en nu haar eerste stapjes op onbekend terrein. Wat ging ik plezier beleven aan dit reine zieltje.

'Wel, dat zullen we nog zien. Kom maar binnen, juffrouw...?'

'Noemt u mij maar Studente,' flapte ze eruit.

De woorden werden meteen gevolgd door een halfhartig pardon en een verse stroom bloed naar de gezichtshaarvaten. Maar ze had me aangenaam verrast. Zonder het zo bedoeld te hebben, had ze ons beiden ineens een naam en een doel gegeven. De Dokter en de Studente.

Ze verraste me zelfs zo dat ik meteen een stap opzij deed om haar binnen te laten. Met een opgeluchte glimlach betrad ze het huis dat ik tot nu toe enkel had geopend voor mannelijke studenten. En dat was zij zeker niet, met haar lang blond haar, grote blauwe ogen die nog onschuldig de wereld inkeken, en heupen die lang niet meer zo kinderlijk waren. Ze liep op een manier die me deed watertanden, al was ze vrij zedig gekleed. Haar jurk was simpel en reikte net niet tot aan de grond – ik was opgelucht om te zien dat die afschuwelijke crinolines niet meer gebruikt leken te worden. Het was duidelijk dat ze in welgestelde omstandigheden was opgegroeid. Ik vroeg me af hoe zo'n vrouw aan mijn voordeur was terechtgekomen. Ik volgde haar mee naar binnen, aangezien ze me zo goed de weg leidde, en zag hoe ze besluiteloos in de woonkamer ronddrentelde.

Ik ontblootte mijn beruchte wolfachtige grijns en vroeg: 'Heb je soms aambeien op gênante plaatsen dat je het vermogen om te zitten bent verloren?'

Ze kreeg een kleur en plofte onhandig neer in een van mijn dure fauteuils. Hierna had ze niets meer te verkondigen en verviel ze in stilte. Uiteindelijk verbrak ik die dan maar.

'Wel, Studente, waarmee kan ik je helpen?'

'Ik zou graag van u leren.'

'En wat denk je dat ik jou kan leren?'

'Ik heb mijn opleiding voltooid aan de Londense school van de geneeskunde voor vrouwen, maar ondanks het feit dat ik beter ben dan alle mannelijke dokters van mijn leeftijd, krijg ik geen werkmogelijkheden. Ik weiger terug te keren naar mijn ouderlijk huis zonder alle opties te proberen en u bent de volgende op mijn lijst. Als u me aanneemt en me uw anatomische expertise leent, heb ik een grotere kans om mezelf te bewijzen.'

'Je hoopt dus dat ik jou kan helpen met je carrière? Waarom zou ik daar moeite in willen steken?'

'Ik weet dat u regelmatig studenten aanneemt. Als ik ook die kans krijg, beloof ik dat ik u niet zal teleurstellen.'

'Doe geen beloftes die je niet kan nakomen, lieverd.'

'Misschien druk ik me verkeerd uit. Ik beloof dat ik u nooit de kans zal geven om terecht ontevreden te zijn over mijn werk.'

'Dat klinkt veelbelovend. Het is bijna genoeg om je voorstel te aanvaarden. Maar weet je wel waaraan je begint? Weinig studenten blijven hier langer dan een week. En dat zijn allemaal mannen, die weten wat werken is. Denk jij dat je het langer kan volhouden?'

Hierop kreeg ze een koude blik in haar ogen. Die vraag viel niet in goede aarde.

'Ik kan u verzekeren dat ik tienmaal meer waard ben dan om het even welke stotterende jongen met een scalpel in zijn hand en ik zou het op prijs stellen als u geen aannames doet over mijn geslacht. Ik weet dat u slimmer bent dan dat.'

Ik liet me niet van de wijs brengen door haar kille toon.

'Dat zal de tijd uitwijzen, nietwaar? Daarnaast moet je weten dat ik niet bekend sta om mijn medeleven of steun. Je zult van mij niet veel meer dan kritiek krijgen. Ben je zeker dat je daar klaar voor bent?'

Als ik had gedacht dat die woorden haar zouden afschrikken, was ik verkeerd. Ze glimlachte zelfs, alsof ik aan haar voorwaarden voldeed in plaats van omgekeerd.

'Ik had niets minder geaccepteerd.'

Zo won de Studente de eerste druppel respect van de Dokter die zulke gevoelens enkel kon koesteren voor mensen die, in zijn eigen ogen, het meest van hem verschilden en daarom ook meestal het meest op hem leken.

Die dag was ik me nog van geen kwaad bewust toen ik haar zo netjes in de sofa tegenover me zag zitten. In mijn hoofd waren zich al enkele aantrekkelijke scenario's aan het vormen. Die begonnen met het uitleggen van de huisregels. Ik heb een paar strikte afspraken die moeten worden nagevolgd als een student wenst te leren van mij. De belangrijkste daarvan is dat de jongeman in kwestie zijn intrek in mijn huis neemt zolang de lessen duren, of in de meeste gevallen: tot ze het niet meer uithouden. Op die manier kon ik de lessen plannen op onmogelijke uren – wanneer ik er zin in had, met andere woorden – en hen in de tussentijd inzetten als gratis werkkracht. Het is opmerkelijk hoe hard ze in mijn tuin werken wanneer ik hun vertel dat fysieke arbeid goed is voor de geest. Niemand spreekt een dokter tegen als hij zijn argumentatie overtuigend genoeg brengt, heb ik gemerkt. Aangezien ik echter een vrouw niet hetzelfde werk kon laten doen, besloot ik om haar in plaats daarvan de taken van mijn huishoudster te geven. Die arme vrouw was toch toe aan een vakantie. Ik merkte hoe het gezicht van de Studente lichtjes vertrok toen ik haar meedeelde dat zij voor onze maaltijden zou zorgen. Dit deed me vermoeden dat ik in onze tijd samen geen grote kookkunsten te zien zou krijgen.

Wat de opleiding betrof – de reden waarom ze hier überhaupt was, zoals ze dunnetjes opmerkte –, die zou in haar vrije tijd plaatsvinden. Ik had een uitgebreide bibliotheek waar veel medische teksten in te vinden waren. Daaruit zou ik boeken kiezen die ze mocht bestuderen. Verder kon ze mijn dissecties bijwonen en zou ze ook zelf de scalpel in handen krijgen wanneer ze dat had verdiend. Na het avondeten mocht ze dan vragen stellen over de lectuur van die dag.

Daarmee waren haar taken echter nog niet gedaan. Ik weiger mijn studenten op te leiden tot vakidioten en verwacht dat ze buiten hun studies ook een dagboek bijhouden. Zo zijn ze gedwongen om stil te staan bij de wonderen van het dagelijkse leven en niet enkel die van het menselijk lichaam. Elke avond lees ik dan hun schrijfsels, om te zien of er meer in hun hoofd zit dan lucht. De Studente leek die opdracht wel amusant te vinden en ze bekeek me alsof ze precies doorhad waarom ik graag in andermans dagboeken las, als de stiekeme pervert die ik ben.

Als ze verder nog tijd had voor ontspannende literatuur, mocht ze enkel lezen wat ik haar gaf. Want zoals het een Brit betaamt, beschouw ik mijn eigen definitie van literatuur als de enige juiste. Ik zou haar, afhankelijk van hoe ze me beviel, ook helpen met de fijnere punten van een anatomische dissectie. Maar die moeite nam ik niet voor al mijn studenten.

Diezelfde namiddag stond de Studente met haar koffers en onzekere glimlach opnieuw op mijn stoep. Ik vroeg niet wat haar familie dacht van haar beslissing om in te trekken bij een verstokte vrijgezel, want als zij haar reputatie graag wou verpesten, zou ik niet degene zijn om haar tegen te houden. Sterker nog, ik hielp graag mee.

Ze begroette me beleefd, nog altijd met de licht verlegen stem die onvermijdelijk is op haar leeftijd, maar er was iets in haar houding dat haar onzekerheid minder overtuigend deed overkomen. Misschien had ik toen al een vermoeden dat de Studente niet helemaal was hoe ze zich voordeed. Maar ik was nog te zeer verblind door haar jeugdige schoonheid om echt op te merken wat er achter haar mooi gezichtje schuilde. Toen leek mijn ambitie om deze jongedame uit haar nette jurk te krijgen haast te gemakkelijk.

Ach, elke grote dokter heeft af en toe zijn moment van totale misvatting.

De Studente kreeg een korte rondleiding, waarbij ik het niet kon nalaten om haar ook mijn eigen slaapkamer te tonen. Ze leek de implicaties te verstaan en bloosde opnieuw: een felrode, snel verspreidende schaamteblos die het roofdier in mij deed grommen van plezier. Ik liet haar alleen om haar spullen uit te pakken en herinnerde haar eraan dat ik mijn avondeten om klokslag zeven uur wenste.

Een uurtje later kwam ze de trap af. Ze zette zich bij me aan tafel, ongetwijfeld in een wanhopige poging om een band met me op te bouwen. Toen ik me nog onder de mensen begaf, had elke vrouw die op etentjes naast mij terechtkwam zichzelf ervan overtuigd dat zij me ging genezen van mijn vrijgezellenleven. Het was een zwakte die ik maar al te graag uitbuitte.

Men zegt altijd dat mannen voorspelbaar zijn en ik ben de eerste om dat te beamen, maar vrouwen zijn niet veel beter. De meesten willen slechts één ding: aanbeden worden. Ze verlangen allemaal, eisen haast, dat mannen verliefd op hen worden. Dat ze hun onsterfelijke liefde verklaren en op hun knieën vallen om een huwelijksaanzoek te doen. Mannen, daarentegen, hebben liever dat het de vrouwen zijn die op hun knieën vallen, maar dan met heel andere doeleinden.

Ik zeg niet dat mannen betere prioriteiten hebben dan vrouwen, of dat vrouwen slimmer zijn dan mannen. We zijn wie we zijn, daar valt niets aan te veranderen. De vrouwen in mijn verleden dachten dat zij de persoon gingen zijn voor wie ik op mijn knieën ging vallen en daar waren ze fout in.

Maar de Studente was gewoon tegenover me gaan zitten en had nog geen woord gezegd. Dat gaf me de gelegenheid om haar wat zorgvuldiger te aanschouwen. Haar houding was volledig veranderd in de tijd dat ze boven was geweest. Alsof ze samen met haar kleren een nieuwe persoonlijkheid had uitgepakt. Weg was de blos en de onzekere glimlach die ze eerder als een schild had gedragen. Het leek erop dat de Studente een bron van zelfvertrouwen had aangeboord die haar er een stuk gevaarlijker deed uitzien.

Na een lange stilte opende ze uiteindelijk haar mond.

'U bent een eigenaardige man.'

'Dat is een van de beleefdere omschrijvingen die ik al heb gekregen.'

Hier moest ze om lachen. Het was de eerste keer dat ik haar vrijuit hoorde lachen en het aangename geluid is nog lang in mijn oren blijven nazinderen.

'Dat vind ik niet moeilijk om te geloven. Uw reputatie omvat niet alleen verhalen over uw wetenschappelijke genialiteit.'

'Genialiteit lokt jaloezie uit en jaloezie kweekt roddels. Ik kan er niet aan doen dat ik beter ben dan mijn collega's ooit zullen zijn.'

'Bescheiden is ook geen woord dat wordt gebruikt om u te omschrijven.'

'Ik heb geen tijd voor valse bescheidenheid. Iets zegt me dat jij dat wel kan begrijpen.'

Misschien was het mijn verbeelding, maar haar ogen leken wat te verzachten bij die opmerking.

'Weet u, het was niet eenvoudig om als vrouw geneeskunde te gaan studeren.'

'Dat kan ik me voorstellen. Ik wist zelfs niet dat het een mogelijkheid was.'

'De opleiding is vrij nieuw, de eerste groep afgestudeerden is pas vorig jaar beginnen te werken. Maar we kunnen nog niet rekenen op dezelfde behandeling als onze mannelijke tegenhangers. Vindt u dat terecht?'

'Ik kan je verzekeren dat ik geen morele complicaties zie in het toelaten van vrouwen in onze professie. Ik heb het hoogste respect voor jullie geslacht.'

'U verwacht niet dat ik ten prooi ga vallen aan hysterie op het moment dat de patiënt me het meest nodig heeft?'

'Ik moet toegeven dat hysterie niet onder mijn expertisegebied valt, maar persoonlijk heb ik altijd weinig wetenschap teruggevonden in het concept. Elke dokter lijkt zijn eigen definitie van de aandoening te hebben. Het enige waar ze het over eens zijn is dat er meer vrouwen dan mannen aan lijden. Ik zie eerlijk gezegd geen reden waarom dat zo zou zijn, behalve misschien dat het leven van een vrouw over het algemeen zwaarder is dan dat van een man.'

Er viel een langere stilte terwijl ze me bedachtzaam aankeek.

'Dat maakt van u een eigenaardige man. U beseft toch hoe zeldzaam die mening is?'

'Natuurlijk besef ik dat. Maar laten we eerlijk zijn, ik ben meer geneigd om iets vol te houden zodra ik weet dat het niet populair is.'

Dit deed haar opnieuw glimlachen en maakte in mij meteen het verlangen los om zulke glimlachjes zo vaak mogelijk uit te lokken. Ze beschouwde de conversatie hiermee blijkbaar als afgelopen en stond op om aan het eten te beginnen. Terwijl ze in de kasten zocht naar de benodigde ingrediënten begon ze een zachte melodie te neuriën. Heel even voelde ik me ondergedompeld in de huiselijkheid van de situatie. Deze jonge vrouw was slechts een aantal uur in mijn leven en had zich er al in genesteld alsof ze nooit iets anders had gedaan.

Toen we eenmaal onze schamele maaltijd van erwten en aardappelen met schapenvlees aan het consumeren waren, besloot ik dat het tijd was om terug de bovenhand in deze nieuwe verhouding te krijgen. Dat deed ik meestal door een stilte in te lassen. Deze eenvoudige techniek was in het verleden al heel doeltreffend gebleken. De meeste jonge mensen lijken stilte ondraaglijk te vinden. Maar natuurlijk was de Studente daar een uitzondering op en reageerde ze niet op mijn subtiele poging om haar van haar stuk te brengen.

In ieder geval brachten we onze eerste maaltijd samen in een licht gespannen maar aangename stilte door. Toen we beiden klaar waren, begon ze zonder morren de tafel af te ruimen en zelfs de borden te spoelen. Ik bleef rustig zitten. Het heeft me altijd een zekere genoegdoening bezorgd om andere mensen aan het werk te zien. Na het afwassen trok ze zich terug op haar kamer, zonder een blik in mijn richting.

Ik kreeg maar geen hoogte van deze vrouw. Het was lang geleden dat ik me zo uit balans had gevoeld. Ze leek vastbesloten om het omgekeerde te doen van wat ik verwachtte. Toch was er een kwetsbaarheid die ze angstvallig trachtte te verbergen. Al zou dat ook gewoon een masker kunnen zijn. Ik kon het onderscheid niet maken en dat frustreerde me mateloos.

Mijn humeur verbeterde toen ze enkele uren later terug naar beneden kwam met haar eerste schrijfsel. Anderen hadden misschien verondersteld dat de eerste dag niet meetelde, maar zij had mijn uitleg goed begrepen. Ze vertrok meteen weer, opnieuw zonder een woord van afscheid. Ik zette me in mijn gemakkelijke stoel met een glaasje porto en begon te lezen. Haar werk was getiteld: De Dokter.

2. De Dokter

Het zenuwstelsel bestaat uit de cerebrospinale as, de ganglia en de zenuwen. De cerebrospinale as wordt onderverdeeld in het brein of cerebrum, verbonden met de schedel, en het ruggenmerg, een verlengde van het brein dat zich in het spinaal kanaal bevindt. Het cerebrum bestaat uit twee laterale symmetrische helften die partieel onderverdeeld zijn door middel van longitudinale fissuren en verbonden worden door transverse banden genaamd commissuren. De cerebrospinale as wordt opgemaakt uit twee substanties, namelijk grijze corticale stof en witte medullaire stof. De grijze stof ligt als een dunne laag op het oppervlak van het cerebrum en zit in het centrum van het ruggenmerg. De witte stof zit in het centrum van het cerebrum en aan het oppervlak van het ruggenmerg. Het bestaat uit vezels.

* - Anatomy: Descriptive and Surgical [4]*

Kent u dat moment waarop de wereld te zwaar aanvoelt? Dat u wakker bent voor de dienstmeid langskomt en plots overvallen wordt door een verlammend gevoel? Met dergelijk zwaar hart moest ik me vanochtend uit bed sleuren. Want de felle zon noch de straatgeluiden die me meestal energie geven, konden me bekoren. Vandaag zou mijn leven veranderen en plots wist ik niet meer of ik er klaar voor was.

Gisterenavond ben ik in slaap gevallen met het boek van de Dokter op mijn schoot. Na al die jaren slaagt het er nog altijd in om me te kalmeren. Waar het leven slordig en chaotisch is, zal deze anatomische atlas altijd correct blijven. Gepubliceerd in 1858, is dit boek het eerste basiswerk anatomie waar studenten tijdens hun studie werkelijk iets aan hebben. Hij heeft alle tekeningen zelf gemaakt, het resultaat van jarenlang kadavers bestuderen. Het zou iemand anders een heel leven kosten om zo'n boek te produceren, maar hij deed het voor hij eenendertig werd. Mijn grootvader was ook geneesheer en heeft altijd bewondering gehad voor de Dokter. Hij was dan ook degene die me het boek had gegeven toen ik nog heel klein was, zodat ik de plaatjes kon bekijken.

In de jaren daarna vroeg ik telkens opnieuw om dat specifieke boek. De woorden betekenden niets voor me, maar ik was eindeloos gefascineerd door de gedetailleerde tekeningen. Dan zocht ik op mijn eigen buik naar sporen van alle organen die onder mijn huid verstopt zaten. Ik herinner me hoe teleurgesteld ik was dat ik ze nergens kon vinden. Lang heb ik gehoopt dat ik er misschien wel zou aankunnen als ik groot was, zoals de mannetjes op de figuren.

In mijn tienerjaren werd het boek een anker waaraan ik me kon vasthouden. Het was een constante herinnering dat mensen er toch allemaal hetzelfde uitzien als ze eenmaal op een dissectietafel liggen. Dat geslacht en huidskleur er uiteindelijk niet toe doen. Die mening maakte me niet populair in mijn sociale kring, maar ik heb er altijd aan vastgehouden, als een vuur dat me warm hield wanneer de wereld koud en bar leek.

De Dokter heeft me verliefd laten worden op het menselijk lichaam en in mij het verlangen losgemaakt om in mijn grootvaders voetstappen te treden. Hij heeft me laten geloven dat we allemaal in staat zijn tot grootse dingen, al zijn sommigen onder ons niet met een penis geboren. Hij heeft me doen beseffen dat dit nobele beroep belangrijker is dan het banale leven waar onze mede-aristocraten zich zo graag mee bezighouden.

En toch.

En toch…

Ben ik een hopeloze romanticus.

De realiteit heeft me al zo vaak onderuit proberen te halen, maar ik blijf geloven in de vage mogelijkheid van de Liefde. Het voelt als een ziekte, een obstakel op het pad van mijn carrière, een zwakte waarvan ik me niet kan losschudden. Mijn irrationele nood aan liefde is bijna even groot als de wetenschap dat ik ze nooit zal bezitten.

Er zijn geregeld mannen die het idee in hun hoofd halen dat ze mij zullen veroveren. Toen ik jong was, veranderde zo'n poging me in een giechelend wicht. Daarna was het een bron van ergernis. Wie waren zij om mij als een bezit te beschouwen, een prijs om te winnen? Toen ik aan mijn medische studies begon, verminderde de aandacht. Mannen – en zeker rijke mannen – zijn namelijk van nature terughoudend tegenover vrouwen die een beroep wensen uit te oefenen. Maar er waren er nog genoeg die bleven proberen. Tegenwoordig reageer ik er eerder geamuseerd op.

Ze zijn allemaal zo voorspelbaar, stuk voor stuk overtuigd dat ze mijn hart gaan winnen. Altijd volgt dezelfde dans, waarin we rond elkaar draaien, ze de grenzen aftasten en met de staart tussen de benen terug gaan lopen als het toch wat gevaarlijk wordt. Vooral de oudere mannen lijken instinctief aan te voelen dat er gevaar in mij schuilt en benaderen me voorzichtig. Misschien zien ze me meer als de beschadigde persoon die ik ben.

Ik ben hier echter niet om te praten over mijn aanbidders. Op dit moment, in dit huis, zijn enkel wij belangrijk. Twee personages die samen hun verhaal zullen schrijven. Want in feite zijn wij eenzelfde schepsel, de Dokter en ik. Dat ziet hij nu nog niet, maar die tijd komt wel. Hij zal leren dat de Studente meer is dan het knappe gezichtje waarmee ze zich wat meer kan permitteren dan sommigen.

Is dat tenslotte niet het leuke aan menselijk contact? Een mens kan ons verbazen zoals andere dieren dat nooit zullen kunnen. De voorspelbaarheid van het leven kan in een enkel moment doorprikt worden door een plotse ingeving of de drang om iets radicaals te doen. Welke radicale stap ga ik met hem nemen? Zal ik 's nachts in zijn kamer opduiken, enkel gekleed in een glimlach? Zal ik hem koud en afstandelijk benaderen? Zal ik voor zijn plezier het onschuldige meisje blijven spelen? De mogelijkheden zijn eindeloos.

Hoe het ook zal lopen, in het heden – als er zoiets bestaat – ben ik nog jong, mooi en onschuldig. Ik ben zoals de Dokter me ziet. Ik ben alles wat hij in zijn stoutste dromen nog niet durft te verwachten. En meer. Want we willen altijd meer.

Dus rukte ik me deze mooie ochtend los uit de sombere overpeinzingen van het verleden. Bepaalde momenten in een leven vragen om de keuze te maken tussen dromen en doen. Vandaag is zo'n moment. En vandaag besluit ik om mijn droom werkelijkheid te maken.

Mijn eerste bezoek had ik overleefd. Nu was het tijd voor de echte confrontatie: de eerste avond in zijn gezelschap. Het duurde niet lang om mijn koffers op te pikken bij de pub waar ik had overnacht. Even later stond ik opnieuw op zijn drempel. Hij opende de deur en ik zag opnieuw die roofachtige grijns over zijn gezicht flitsen.

Het was duidelijk dat hij dit al vaker had gedaan. Zijn houding was zelfzeker en arrogant, hij probeerde me van mijn stuk te brengen. Dat lukte bijna ook. Deze man was in mijn hoofd uitgegroeid tot legendarische proporties en ondanks mijn zorgvuldig voorbereid bezoek wist ik even niet meer wie ik nu weer probeerde te zijn. Maar ik zou nog genoeg kansen krijgen om dat te laten zien.

Hij besloot me opnieuw te wijzen op mijn taken in de hoop dat ik zou protesteren. Alsof ik zijn dominante houding niet had verwacht. Ik draai mijn hand niet om voor een paar huishoudelijke taken. Er kan plezier worden gevonden in de vreemdste dingen als ze op de juiste manier benaderd worden. Ondanks mijn opvoeding heb ik me nooit willen schikken in het idee dat wij voor alles moeten rekenen op bedienden en deed ik veel dingen zelf.

Enkel het koken was een tegenvaller. Door mijn erbarmelijke kookkunsten is eten een van de weinige dingen waarvoor ik liever op andere mensen terugval. Ik nam echter genoegen met de veronderstelling dat, als hij een liefhebber van lekker eten zou blijken, ik niet zo lang zou moeten koken voor hem.

Na de herhaling van de regels begeleidde hij me mee naar boven om me mijn kamer te tonen. Hij nam me zelfs mee naar zijn slaapkamer. Ook dat was geen verrassing.

Het viel me op dat de Dokter een sluwe vos was, ondanks de grijze haren. Zijn laatste opdracht – de dagelijkse schrijfsels – was even ingenieus als ze nutteloos leek. Het klonk oprecht, maar was in werkelijkheid een verdoken manier om zijn studenten te leren kennen en te manipuleren. Als iemand over een dag moet schrijven waarin niets gebeurt, zal hij uiteindelijk over zichzelf beginnen te praten. Misschien werden ze zelfs een beetje opgewonden, wetende dat er iemand hun woorden later zou lezen. En dan gaven ze graag veel weg van zichzelf, in een wanhopige poging om de goedkeuring van de Dokter te krijgen.

Wel, ik kan dat spelletje ook spelen.

De vraag is enkel hoe ik het zal spelen. Laat ik hem mijn tikkend hart onder de vloer horen, of maak ik een nieuw verleden voor mezelf? Ik heb nog veel tijd om die beslissing te maken. In de tussentijd zal ik proberen om hem wat gefrustreerd te krijgen. Want ik ben wel degelijk van plan om de Dokter in mijn bed uit te nodigen. De mensen in deze maatschappij hebben zo'n achterhaalde mening over fysiek genot. Voor mij is het simpelweg wat het woord zegt: genieten. Er is geen reden om het ingewikkelder te maken dan dat. Dat is dan ook precies wat ik de Dokter ga leren. Waar moet ik dit lichaam anders voor gebruiken?

Mijn persoonlijke triomf van de avond kwam met de maaltijd. Ik had besloten om mezelf ineens van mijn beste kant te laten zien en hem duidelijk te maken dat hij de komende maanden niet dikker zou worden. Hij probeerde op zijn beurt de bovenhand te krijgen door een dodelijke stilte in te lassen en me compleet te negeren. Ik maakte handig gebruik van de welkome rust om de kamer te bestuderen waarin we onze maaltijd nuttigden.

Hij is niet ouderwets, dat is een cliché waarvan ik hem niet kan beschuldigen. Excentriek is eerder de juiste benaming. Zijn huis staat vol met spullen. Overal waar ik keek stond er wel een medisch instrument of hebbedingetje waar ik geen functie voor kon bedenken. De bedoeling is duidelijk: intimideren. Iedereen die dit huis betreedt is meteen onder de indruk van de enorme ervaring die hij klaarblijkelijk heeft. Zijn levenswijsheid wordt in een oogopslag duidelijk, en daar profiteert hij zonder twijfel van. Maar mij kan hij niet bedotten. Ik zie de man achter de prullaria. Ik zie de spullen die besteld zijn via antiekwinkels in plaats van gekocht op kleine marktjes in verre steden. Dit is het huis van een kluizenaar die zich anders probeert voor te doen dan hij is. Wat ik tot nu toe van hem en zijn huis heb gezien, kan ik in een zin beschrijven: dingen die lijken maar niet zijn. We verschuilen ons allemaal achter onze maskers, en ik ga er veel genoegen in scheppen om het zijne af te pellen.

Ik moet bekennen dat ik nooit eerder een dagboek heb bijgehouden. Het leek me altijd een daad van opperste ijdelheid om je eigen oninteressante leven vast te leggen alsof het iets betekent. Maar nu worden deze woorden door iemand gelezen. Dat is natuurlijk ook deel van het plezier, om de reactie van de lezer te zien wanneer hij zich langzaam realiseert dat jij toch niet de persoon bent die hij voor zich meende te hebben. Enkel om jezelf de voldoening te schenken dat je misschien toch net iets specialer bent dan de andere 25 miljoen mensen die op dit eiland hun leven proberen op te bouwen. Opnieuw een ijdele onderneming, want wie ben jij om te beweren dat je speciaal bent?

Iedere mens die ademhaalt op onze planeet is hier slechts om te blijven ademhalen en doelloos rond te scharrelen in wat wij de samenleving noemen om zich ten slotte bij het onvermijdelijke neer te leggen en rustig te sterven. Sommigen sterven te vroeg, anderen sterven te laat. Zelf lijkt het me wel wat om een vroegtijdig tragisch einde het mijne te maken. Want zoals de meeste grote schrijvers maar al te goed begrijpen, is er niets zo memorabel als een ware Griekse tragedie, liefst met een aura van mysterie errond zodat de kranten elk jaar een nieuwe theorie kunnen ontwikkelen.

Een einde moet niet goed of slecht zijn. Het moet passen in het verhaal. Dat is wat ik wens van mijn leven. Een passend einde. Vergetelheid komt voor ons allen. Het enige waarop we kunnen hopen is dat we nog even blijven hangen in het collectieve geheugen tot het zover is.

Dit is gewoon een nieuwe dag op de tijdlijn van mijn leven. Een dag die ik – in tegenstelling tot de meeste dagen – zal blijven onthouden. Het is een overwinning. De Dokter in mijn bijzijn en binnenkort in mijn bed. De Dokter in vlees en bloed, klaar om mijn fantasieën te ontbinden en zijn ware aard aan mij te laten zien.

Ik bouw mijn leven op aan de hand van mijn overwinningen. Net zoals alle mensen moet ik tegenslagen ondergaan, maar ik heb lang geleden besloten om niet te tellen in tegenslagen. Ik zal enkel kijken naar wat ik heb overwonnen en wat ik elke dag opnieuw moet overwinnen. Enkel zo kan ik overleven. Sommigen zouden naar mijn leven kijken en oordelen dat ik sterk ben. Anderen zouden me diagnosticeren als een ernstig geval van hysterie en me allerlei daarmee gerelateerde complexen toeschrijven. Persoonlijk heb ik geen mening over mijn leven. Uiteindelijk doen we allemaal toch maar wat we kunnen.

Terwijl ik dit in mijn nieuwe onderkomen aan het neerpennen ben, ligt het boek van de Dokter opnieuw op me te wachten. Als een favoriete pop waar kinderen naar grijpen als ze met het onbekende worden geconfronteerd, grijp ik naar zijn boek. Wanneer ik hiermee klaar ben, zal ik opnieuw in slaap vallen met zijn woorden resonerend in mijn hoofd. Net zoals ik over de jaren zo vaak heb gedaan.

In mijn hoofd was hij een vriend van me geworden, iemand die ik al mijn hele leven kende en die wist hoe ik ineenzat. Ik vroeg me bij bepaalde dingen die ik deed af wat hij erop zou zeggen. Ik maakte van mezelf een patiënt in een van zijn case studies. Want als ik over mezelf zou lezen, zou mijn leven er veel romantischer uitzien dan het eigenlijk was. Dan zou ik het meisje kunnen zijn dat met haar stille liefheid en wijsheid de harten raakt van iedereen rond haar, ondanks alles wat ze heeft moeten doorstaan. Helaas ben ik dat meisje niet. Ik heb voor kracht gekozen in plaats van lieflijkheid. Ik heb voor mezelf gekozen en niet voor anderen. Overleven vraagt nu eenmaal opofferingen.

Toen ik ouder werd, begon ik meer op te zoeken over het verleden van de Dokter. Ik wist dat hij van goede afkomst was omdat mijn stiefvader zijn vader vaag had gekend. Onaangename mannen zoeken vaak elkaars gezelschap op, heb ik al gemerkt. Daardoor wist ik ook dat zijn vader tot aan zijn dood niet meer wenste te spreken over zijn enige zoon die het had aangedurfd om te werken in plaats van het familiebedrijf te leiden. De Dokter wenste geen rijkdom, hij wou zich enkel wijden aan zijn werk. Hij gaf niet om uiterlijk vertoon en dat kon ik waarderen. Het heeft me later ook de moed gegeven om zelf buiten de norm te vallen.

Hij had zich al vroeg in zijn studie onderscheiden door zijn talent met een scalpel en oog voor detail. De andere studenten mochten hem niet zo, naar wat ik begreep, aangezien hij goed wist dat hij beter was dan hen en dat niet probeerde te verbergen. In die jaren kreeg hij ook een zekere reputatie en deden de wildste verhalen over zijn uitspattingen de ronde.

Maar zijn echte bekendheid begon toen hij eenendertig was en les gaf in St. George's Hospital. Hij slaagde erin om zich ook bij zijn mentoren minder geliefd te maken, door te beweren dat zijn anatomieboek accurater en duidelijker was dan alles wat al beschikbaar was. Helaas voor zijn superieuren was dat ook zo, en al snel werden hun werken vervangen door het zijne. Het bezorgde hem onmiddellijke roem en dwong ieders respect af, al bracht het ook veel jaloezie met zich mee.

In de jaren daarop bleef hij werken aan nieuwe projecten, maar werden er geen gelijkaardige boeken meer gepubliceerd. Het leek erop dat hij steeds minder tijd aan zijn dissectietafel besteedde en steeds meer aan vrouwelijk gezelschap. Hij stond in Londen bekend als gegeerde vrijgezel, en hoewel een bepaalde vrouw vaak in zijn gezelschap werd gezien, was nog niemand er in geslaagd om hem aan de haak te slaan. Toen hij vierendertig was, verdween hij. Zijn tweede boek was aangekondigd maar verscheen niet. Zijn colleges werden afgelast. Zijn huis in Londen werd leeggehaald. Hij leek van de aardbodem verdwenen te zijn.

Dit was de man die ik leerde kennen. De arrogante dokter die zonder reden spoorslags verdween uit het gewone leven. Zogezegd om in alle stilte te kunnen werken, maar ik wist dat er meer achter zat dan dat. Ik wist ook dat ik er alles aan zou doen om de waarheid te achterhalen.

Van de vele studenten die al bij hem verbleven, hebben er zich niet veel ontpopt tot succesvolle dokters. Bovendien heeft een vrouw nog nooit hetzelfde geprobeerd. Dat kan mijn enthousiasme echter niet temperen. Ik ben vastbesloten om een van die studenten te worden. De Studente, zelfs. Want als hij een hoofdletter verdient, waarom ik dan niet?

3. Het roofdier

Dat eerste schrijfsel was haar test voor mij. Ik had mijn kans al gekregen en haar in mijn huis toegelaten, maar daarna was het haar beurt om te beoordelen of ik de moeite waard was. Om te zien of ik geïntrigeerd of afgeschrikt zou zijn door wat ze me vertelde. Bovendien wou ze laten zien hoeveel ze wist over mijn leven. Het was tegelijk een waarschuwing en een compliment. Pas op, leek ze te zeggen, ik zal niet vallen voor uw manipulaties. Ze gaf aan dat zij anders was dan de voorgaande studenten en wachtte geduldig af om te zien hoe ik daarop reageerde.

Wel, ik besloot om er niet op te reageren. De volgende ochtend lagen haar papieren terug op tafel. In normale omstandigheden zou ik mijn studenten mijn eigen boek geven om te bestuderen, zoals dat een ware narcist betaamt. Maar de Studente had duidelijk gemaakt dat ze mijn boek haast van buiten kende, dus dat had niet veel zin. In plaats daarvan legde ik een alternatief boek klaar, iets droogs over de fysiologie van het lichaam.

De Studente kwam niet veel later naar beneden. Ze liet de papieren en het boek links liggen en installeerde zichzelf in een gemakkelijke stoel aan het raam, wat later ook haar vaste plaats zou worden. In haar handen had ze een oud en versleten exemplaar van mijn boek.

'Geen ontbijt?' vroeg ik haar.

Ze keek niet op van haar boek. 'Geen zin om te koken,' zei ze.

'Dat is jammer voor jou, want ik wens wel een ontbijt 's ochtends.'

'Veel kookplezier, dan.'

Ik lachte wat ongelovig, maar ze was nog altijd rustig aan het lezen. Na even te blijven staan, begaf ik me dan toch mopperend naar de keuken om wat brood te beboteren. Het was duidelijk dat ik over deze student niet veel te zeggen zou hebben.

Een aantal uren later zag ik haar vanuit de tuin nog steeds in die stoel zitten, met de geconcentreerde uitdrukking op haar gezicht die ik in de daaropvolgende weken nog goed zou leren kennen.

Toen het tijd was voor het middagmaal nam ze wel de moeite om recht te staan en voor ons beiden te koken. Iets waar ik stiekem dankbaar voor was, want ik was werkelijk hopeloos op dat gebied.

Na de lunch verdween ze een uurtje naar haar kamer, vermoedelijk om aan haar dagboek te werken. De rest van de tijd was ze druk in de weer met schoonmaakspullen. Ons avondeten verliep wederom in stilte. Ze had zelfs geen vragen voor me. Het was een dag zoals alle andere, even stil en even rustig. Ik had bijna kunnen vergeten dat er een nieuwe student in huis was.

Ondanks die kalme eerste dag, is er veel gebeurd in de maanden dat de Studente bij mij verbleef. Zo veel, dat het moeilijk is om te beschrijven hoe we ons in het begin gedroegen. Het werd al snel duidelijk dat het verlegen meisje weg was. Ze had niet gelogen in haar tekst. Maar ik was nog niet zeker welke versie van de Studente ik te zien zou krijgen. In het begin leek

ze een jonge vrouw die pas laat had geleerd hoe ze zich zelfzeker moest voordoen en die zich daardoor niet meteen in die rol
kon inleven. Maar na onze eerste ontmoeting begon haar spel.

We waren beiden zeer wantrouwend. Als twee dieren die
elkaar in de wildernis tegenkomen, draaiden we rond elkaar,
te achterdochtig om onze rug naar de ander toe te keren. We
spendeerden het grootste deel van die eerste tijd in stilte omdat we niet wilden riskeren dat de ander ons zou leren kennen.
Zij verkoos om te communiceren via haar schrijfsels, waarin
ze haar woorden zorgvuldig kon afmeten en geen last had van
non-verbale weggevers. In de lange stiltes tussen ons zag ik in
haar de koppigheid en kortzichtigheid waar ik me zelf ook af
en toe schuldig aan maakte. Maar ondanks haar vastberaden-
heid om een mysterie voor me te blijven, begon ik uiteindelijk
toch een beter beeld van de Studente te krijgen.

Ik ontdekte hoe trots ze was toen ik probeerde om haar
vaardigheden ten onrechte af te kraken en ik zag hoe vasthou-
dend ze kon zijn aan haar besluit dat ik degene zou zijn die
het stilzwijgen aan de eettafel zou verbreken. De Studente was
enkel charmant als het een doel had en enkel lief als ze er zin
in had. Haar humeur kon even plots omslaan als het mijne en
ik kwam er al snel achter dat we in een slechte bui bijzonder
sterk aan elkaar gewaagd waren.

Ze was minder geneigd om me te plezieren dan de andere studenten. Hoewel ze me op professioneel gebied duidelijk
hoog inschatte, doorzag ze mijn persoonlijkheid beter dan de
doorsnee bewonderaar. Ze wist van mijn befaamde arrogantie,
maar zag ook mijn neiging tot zelfmedelijden en de grootheidswaanzin die me op dit destructieve pad had geholpen.
Het was een talent van de Studente, zoals van de meeste belangrijke dokters, dat ze een persoon zag voor wie hij werkelijk

was. Ze kon hem volledig uit elkaar halen en de aparte stukken bestuderen als een klok. Dat is tenslotte de enige manier om een patiënt goed te beoordelen. De meesten zullen het ons niet uit zichzelf vertellen.

Haar teksten waren tegelijkertijd voorspelbaar en verrassend. Ze schreef haar dagboek zoals alle andere studenten, maar er zat een berekendheid in die bij de anderen ontbrak. Ze praatte veel over zichzelf, of tenminste over het persona dat ze voor zichzelf had gemaakt, maar ik had geen idee of er iets van waarheid zat in haar beschrijvingen. Het voelde allemaal nogal afstandelijk, alsof ze over iemand anders vertelde. De emotionele betrokkenheid die ik zo gewoon was van andere studenten ontbrak. In die mate dat het me soms zelfs ongemakkelijk maakte.

Pas toen ik een stomme val deed en mijn pols verzwikte, besefte ik hoe ver haar afstandelijkheid ging. De Studente zat een boek te lezen op het moment dat ik met een hete tas thee door de deuropening kwam. Er was wat thee op mijn hand gelopen en in mijn verstrooidheid struikelde ik over de drempel en viel op de grond. Ik slaagde erin om het meeste van de thee van me weg te houden, maar mijn pols eindigde in een rare hoek. Er ontsnapte me een pijnkreet en een niet bepaald beleefde vloek. Toen ik opkeek met mijn pols tegen mijn borst gedrukt, keek ik recht in de ogen van de Studente. Ze zat nog steeds rustig in de zetel en bekeek me van over de rand van haar boek. Mijn val was voor haar geen reden om hulp aan te bieden of zelfs maar bezorgdheid te tonen. Toen ik haar bleef aankijken, trok ze een wenkbrauw op.

'Gebroken, denkt u?'

Het kwam er zo verontrustend verveeld uit dat mijn mond een paar keer open en dicht ging voor ik kon antwoorden.

'Ik denk het niet, maar je bent enorm bedankt voor de hulp.'

'Hebt u hulp nodig om recht te komen? Misschien is het maar goed dat we nog geen coïtus hebben geprobeerd.'

Mijn trots weerhield me ervan om verder om hulp te vragen, maar ik zal nooit die toon van haar stem vergeten. Op dat moment realiseerde ik me dat ze geen moer om mijn welzijn gaf. Ze had respect voor me als Dokter, idealiseerde me misschien zelfs een beetje, maar daar hield haar affectie op. Het kan soms gevaarlijk zijn om zulke dingen te vergeten.

Ik heb altijd geleefd in de overtuiging dat ik mijn mannelijkheid moest bewijzen op ouderwetse manieren. Het eenzame leven heeft daar geen goed aan gedaan. In mijn ogen was ik de man in het huis, de persoon die haar zou onderwerpen en haar alles zou laten zien. Dat was altijd mijn taak geweest en ik schepte er plezier in. Maar in werkelijkheid was zij degene die mij aan het onderwerpen was. Ik had mijn tegenstandster al in het begin onderschat en dat was mijn zwakte geworden in de strijd om dominantie. Ze had mijn arrogantie geroken en had toegeslagen.

Dat was echter pas later. De eerste week dat ze bij me verbleef moest de strijd nog losbarsten. Grenzen werden afgetast en het verleidingsspel was begonnen. Ik heb persoonlijk weinig ervaring in de kunst van het subtiele verleiden. In het verleden ging ik meestal voor de gemakkelijke overwinningen, de vrouwen die blij waren om ergens warm te slapen die nacht of te dronken waren om nee te zeggen. Tegenwoordig krijg ik de meisjes bij me thuis afgeleverd en is er ook geen uitdaging aan. Maar ondanks dat de Studente me had verzekerd dat ze me in bed wou, wist ik dat ze het me niet gemakkelijk ging maken. Ik zou moeten bewijzen dat ik haar verdiende.

Hier was ik in het begin uiteraard te trots voor. Ik was niet van plan om haar te laten zien hoezeer ze me reeds rond haar vinger had gedraaid. Ik negeerde met opzet de kleine hints die ze me gaf: de lange blikken, de kleding die alsmaar minder formeel werd, de vele excuusjes om zich voorover te buigen. Haar schrijfsels werden explicieter elke dag dat ik haar niet de aandacht gaf die ze gewoon was.

Na een tijdje wist ik echter niet meer waarom ik zoveel weerstand bood. Mijn frustratie groeide uit tot een levend iets, dat zijn lelijke kop roerde telkens wanneer ze me meer liet zien. Op een keer was de Studente iets aan het opruimen dat op de keukengrond was gevallen. Het eerste wat ik zag toen ik binnenkwam waren benen. Ze zat op haar knieën en haar rok was omhoog gekropen. Ik kon enkel als een idioot staren naar die lange, bruine benen. Hoe konden ze zo bruin geworden zijn? Mijn brein leek vast te zitten op die ene gedachte. Haar benen, licht gespreid terwijl ze verwoed iets plakkerigs probeerde te verwijderen van de vloer, waren een onweerstaanbare uitnodiging. Ze wezen de weg naar wat ik zo graag wou. Wat ze me weigerde te geven.

Haar niet aanraken op dat moment was een van de moeilijkere dingen die ik al heb moeten doen. Maar ik voelde instinctief dat het slecht ontvangen zou worden. Net als iets zeldzaams en kostbaars in een museum, was ook dit enkel om naar te kijken, niet om te bezitten. Alsof de Studente mijn ongepaste gedachten had gehoord, draaide ze zich plots om. Haar frons van ergernis verdween snel en er kwam een plagende glimlach in de plaats. Niet die oprechte glimlach waar ik regelmatig zo hard voor werkte, maar toch een goed substituut.

'Ziet u iets interessants?'

'Dat kan je wel zeggen, ja. Hoe lang ga je nog wachten met het waarmaken van je belofte?'

'Als het moment er is, zal u het merken. Maakt u zich daar maar geen zorgen over. Tot die tijd mag u het houden bij kijken. Gelukkig voor u heb ik daar geen morele bezwaren tegen.'

Met die woorden draaide ze zich terug om, spreidde haar benen een tikje wijder en begon terug te schrobben. Ik ben nog een tijdje blijven staren, niet wetende waarom ik zelfs naar de keuken was gekomen.

's Avonds las ik in haar schrijfsel dat ze geen ondergoed had gedragen die dag. Die simpele wetenschap, dat ik zo dichtbij was geweest, werkte bedwelmend. Ik bedacht me dat dit was hoe Tantalus zich gevoeld moest hebben, steeds maar reikend naar die sappige vruchten die niet wilden blijven hangen. Ik had geen idee of ze werkelijk niets onder haar jurk aanhad die dag, maar de fantasie had zich toch onherroepelijk vastgezet in mijn brein.

Er waren momenten dat ik de haast onbedwingbare drang voelde om haar simpelweg met geweld te nemen. Om de verheven plagerijen te doen stoppen. Om die koude façade te breken en iets van emotie in haar ogen te zien. Uiteraard werd die drang snel weer onderdrukt. Ondanks de beledigingen die ik vroeger soms moest incasseren, ben ik geen beest.

Ze was niet de eerste vrouw die dit spel met me trachtte te spelen. Maar de meeste vrouwen hadden een zekere terughoudendheid als het te maken had met seks. Het was hoe ze waren opgevoed door hun ouders en hun omgeving. Vrouwen mochten niet zomaar laten zien dat ze seks wilden, ze moesten het behandelen als een schromelijk iets. Ze hadden gevoelens nodig, zekerheden dat hun partner er nog zou zijn als het ochtend werd. Bij de Studente merkte ik niets van dit alles. Ze was obsessiever met seks bezig dan de gemiddelde man, maar weigerde zich aan me over te geven. Die neiging tot obsessie heb ik over de maanden regelmatig opgemerkt. De Studente had het zeldzame vermogen om haar volledige aandacht op één ding te vestigen. Ze benaderde haar studies met diezelfde obsessieve concentratie. Als ze verdiept was in een boek, kon niets haar afleiden. Wanneer ze dan uren later rechtstond, merkte ze dat haar benen sliepen, haar mond uitgedroogd was en haar blaas oncomfortabel vol was.

Ook ik kon niet ontsnappen aan haar aandacht. De Studente is altijd zeer geïnteresseerd geweest in mijn verleden. Ze maakte er regelmatig toespelingen op in haar schrijfsels en vroeg zich dan onder andere af waarom ik me indertijd had teruggetrokken. Maar zoals zij maar al te goed wist, is het mysterie spannender dan de waarheid en ik gaf geen krimp wanneer ze me bestookte met vragen.

Zo bleef ons spel een hele tijd duren, terwijl we beiden probeerden om de achterkant van onze tong verborgen te houden en de ander te overtuigen van onze genialiteit. Het probleem was dat we beiden gewoon waren de controle te hebben. Ik heb altijd mijn macht uitgeoefend op professioneel en persoonlijk gebied en koos vroeger uitsluitend veroveringen die me dat toelieten. Er is in mijn hele leven slechts één uitzondering geweest. Helaas was die bepaalde vrouw een uitzondering op meerdere vlakken.

De Studente had ook haar hele jonge leven gestreefd naar het behouden van controle in alle aspecten van haar leven, voornamelijk controle over het mannelijke geslacht. We wisten van elkaar wat we probeerden te bereiken, maar zij wist beter waar ze mee te maken had en kon mijn pogingen om het machtspunt te verschuiven handig ontwijken.

Dit klinkt natuurlijk allemaal vreselijk klinisch. Maar ergens was het dat ook, vooral voor haar. Ik had geleerd om me niet te hechten aan vrouwen en zij had op haar beurt niet veel behoefte om emoties te betrekken bij onze prille relatie. We waren beiden niets meer dan dieren, zoekend naar de zwakke plek van de ander.

De seksuele spanning is in mijn herinneringen onherroepelijk verweven met onze eerste weken samen. Maar we hielden ons natuurlijk niet alleen bezig met verleidingstechnieken. Onze dagen waren eenvoudig. Ik was het gewoon om mijn dienstmeid alles te laten doen en zelf niet buiten te komen, maar de Studente voelde zich algauw opgesloten. Ze ontwikkelde de gewoonte om 's ochtends naar het dorp te wandelen, als het nog maar net licht was en de lucht kil en vochtig. Dat was haar favoriete moment van de dag. Toen ik ernaar vroeg, glimlachte ze en zei dat die vroege ochtend een tijd van de mogelijkheden was. De dag die voor velen nog moest beginnen lag als een onbeschreven blad voor haar, klaar om bewerkt te worden. Ik ging zelf ook wandelen, om niet in mijn sedentaire levensstijl vast te raken, maar dat was meer uit noodzaak dan plezier.

Tijdens het ontbijt was het meestal stil. Ik ben geen ochtendmens en zij was geen prater. Daarna gaf ik haar een nieuw boek om te bestuderen en vervolgens gingen we elk onze eigen weg. Zij kroop meestal met dat boek in haar stoel aan het raam. In de loop van de dag verdween ze op onwillekeurige uren naar boven om een stukje verder te schrijven of om wat schoonmaakwerk te doen.

Ik spendeerde het grootste deel van mijn tijd met een boek of werkend in de tuin. Mijn leven speelde zich af binnen de grenzen van mijn domein. Ik had er in twintig jaar geen voet meer buiten gezet. De wereld na 1861 was een mysterie voor me en zo hield ik het ook graag. In het begin had ik vaak heimwee naar mijn vroegere leven. Maar op een gegeven moment passeer je een onzichtbare grens en begint de buitenwereld je bang te maken. Tegenwoordig jaagt de gedachte om een simpele wandeling naar het dorp te maken me ongekende angst aan. Dat zou ik natuurlijk nooit toegeven aan de Studente, al denk ik dat ze het soms van mijn gezicht kon aflezen.

In de namiddag vervielen we regelmatig in lange discussies. We deelden vaak dezelfde mening, maar als dat niet zo was kon het er hard aan toegaan. Ik herinner me het gesprek dat we hadden toen ik haar had gevraagd of ze religieus was. Ze had gelachen.

'Zie ik er zo uit, dan?'

'De meeste mensen hebben wel een bepaalde religie waar ze zich aan vasthouden. Waarom jij niet?'

'Het enige waar ik me aan vasthoud is de wetenschap. Datgene wat bewezen is.'

'En wat met de vragen waar de wetenschap geen bevredigend antwoord op heeft?'

'Heeft religie daar misschien wel een goede verklaring voor?'

'Het geeft steun, het stelt mensen gerust. Ik begrijp de menselijke nood aan religie wel.'

Haar ogen vlamden bij het horen van die woorden alsof ik iets ongelooflijk onredelijks had gezegd.

'Wel, ik niet. Religie is voor mensen die het lef niet hebben om zelfstandig te denken. Mensen die zeggen dat ze gelovig zijn, vertrouw ik niet. Het zijn idioten ofwel manipulatoren die anderen proberen mee te sleuren in hun waanzin.'

'Iets zegt me dat je geen fijne associaties hebt met geloof.'
Ze rolde met haar ogen.
'Ik had de beste associaties kunnen hebben en was nog niet gelovig geweest. God is een opgeblazen sprookje gebruikt om een grote mensenmassa te kunnen controleren. Geef ze hoop en iets om te vrezen en ze zullen dansen naar je pijpen. Verbrand diegenen die afwijken van de norm en kruisig wie je tegenspreekt. Dat is de enige functie van godsdienst. Ik weiger gecontroleerd te worden door iemand en al zeker door een opperwezen.'
'Ik hou ook niet van het idee dat er iets of iemand op ons neerkijkt. Maar laten we eerlijk zijn, uit religie komen ook positieve dingen voort.'
'Daar ben ik het niet mee eens.'
Daarmee was de discussie afgelopen. Wat mijn argumenten ook waren geweest, ze was er niet in geïnteresseerd. Ze pakte haar boek terug op en ik was voor de rest van haar verblijf slim genoeg om het niet meer over geloof te hebben. Ik was geschrokken van het vuur waarmee ze zich tegen religie keerde. Ook al beschouw ik mezelf als een vrij onverdraagzaam persoon, ik kan nog wel sympathie opwekken voor een gelovige. Plots bevond ik me in de ongewone situatie dat ik religie aan het verdedigen was en ik bedacht me hoe ironisch dit was.

Ik heb werkelijk geen religieus bot in mijn lichaam. Mijn ouders hebben me net zoals de meeste bovenklasseburgers elke zondag meegenomen naar de kerk, maar dat was meer voor uiterlijk vertoon dan uit oprechte vroomheid. Die attitude nam ik later dan ook van hen over. Toen ik begon te studeren had ik niet meer de behoefte om die vertoning te blijven volhouden en ben ik gestopt met de kerkelijke bezoekjes. Dat was meteen ook het einde van mijn religieuze carrière.

Ongeveer twee weken nadat de Studente bij me was ingetrokken, kon ik haar eindelijk de fijnere punten van de menselijke anatomie laten zien. Mijn vaste bestelling was aangekomen. Midden in de nacht waren mijn dubieuze Londense vrienden langsgekomen en ze hadden een vers lichaam achtergelaten in de kelder waar ik mijn werkruimte had gemaakt. Het was er het hele jaar door koel, wat de stank in de zomermaanden aanzienlijk beperkte. 's Ochtends vond ik hun briefje en ik wist dat de Studente het ook gezien moest hebben voor ze vertrok naar het dorp. Het zou niet lang duren voor ze uit nieuwsgierigheid opdaagde.

Ik begin mijn dissecties altijd met een zorgvuldige voorbereiding. Het lijk wordt helemaal gestript, waarbij ik de kledij in een zak bewaar. Vervolgens was ik het van top tot teen, een taak die me meestal vele emmers vuil water oplevert. Als laatste knip ik het haar kort, zodat ik met mijn scalpel gemakkelijker aan de schedelhuid kan.

Als het lijk dan netjes klaarligt, kan de inspectie beginnen. Ik bestudeer elke vierkante centimeter huid en zoek naar verwondingen – antemortem of postmortem –, tekenen van ziekte, tekenen van het soort leven dat ze hebben gehad, en ga zo maar verder.

Tijdens die inspectie kwam de Studente stilletjes binnen. Ik merkte haar pas op toen ze naast me stond, een schort zoals de mijne voorgebonden.

'Net op tijd, Studente. Vertel me eens wat je ziet.'

Ze gaf niet meteen een antwoord. In plaats daarvan boog ze zich met een frons naar voren en liet ze haar blik over het lijk dwalen.

'Man, vermoedelijk begin vijftig in leeftijd. Een geschatte 165 centimeter in lengte en 40 kilogram in gewicht. Er is een minimum aan visceraal of perifeer vet aanwezig en de algemene indruk suggereert een leven van ondervoeding. De toestand van de tanden en nagels wijzen ook op armoede.'

'Daar ben ik het mee eens, hoewel er nog andere verklaringen kunnen zijn dan armoede. Wat zou je volgende stap zijn?'

'Het inspecteren van de lichaamsopeningen.'

'Zeer goed. De meeste studenten zijn veel te uitbundig met de scalpel. Maar voor we het vlees uiteenscheuren, moeten we zeker zijn dat er geen hints meer te vinden zijn aan de oppervlakte.'

Ze gaf me een oprechte glimlach. De Studente was gevoelig voor complimenten, zo bleek. Het was een stukje informatie dat ik meteen opsloeg. We gingen verder met het grondig onderzoeken van de mond, ogen, oren, neus, penis en anus. Er was niets opmerkelijks te vinden, dus draaide ik me met opgetrokken wenkbrauwen om naar de Studente.

'Nu kan er begonnen worden met het uiteenscheuren van het vlees, zoals u dat zo netjes zei,' beantwoordde ze mijn stilzwijgende vraag.

'Correct. Vandaag zal je taak enkel bestaan uit observeren en vragen beantwoorden. Maar als ik je kennis toereikend vind, mag je volgende keer een scalpel vasthouden.'

Ze knikte en rechtte haar rug een tikje meer, alsof ze zich mentaal voorbereidde op een test. Dat was ook precies wat volgde. Bij elke structuur die ik blootlegde vroeg ik haar om het te identificeren. Sommige waren gemakkelijk, zoals de grote bloedvaten en organen, maar ook bij de kleine zenuwen verwachtte ik dat ze ze correct kon benoemen. Ze slaagde glansrijk. Het was duidelijk dat ze mijn boek met aandacht had gelezen. Dit deed mijn zelfbeeld zodanig deugd dat ik meteen besloot om haar de volgende keer meer te laten doen.

We kwamen goed overeen, de Studente en ik. We hadden een gelijkaardige persoonlijkheid. Dat had enorm kunnen botsen, maar we wisten een evenwicht te bewaren dat ik nog maar met weinig anderen had ervaren. De spanning tussen ons bleef wel hangen, als een constante energie die in de lucht zat, in iedere nonchalante aanraking.

Het was een tijd van mogelijkheden. De passiviteit waarin we ons bevonden, tintelde ervan. Er was nog niets gebeurd, maar we wisten beiden dat daar vroeg of laat verandering in zou komen. We leefden in een heerlijk vagevuur, wachtend op wat komen moest. De Studente liet me rondlopen met een constant gevoel van agitatie. Het soort dat zich in de buikstreek nestelt en een persoon afgeleid en licht onpasselijk zijn dag laat doorkomen. En toch is het geen onaangenaam gevoel. Het is plezier scheppen in de daad voor die werkelijk plaatsvindt.

Zolang onze eerste keer een mogelijkheid bleef en geen herinnering, was er nog een manier waarop alles perfect zou kunnen zijn. Maar zodra het gebeurd was, zodra het heden verleden was geworden en mijn zaad aan de binnenkant van haar dij kleefde, was het niet meer perfect. Dan had het een deel van zijn schoonheid verloren. Dan restte er enkel nog de herinnering aan een nacht die misschien wel of misschien niet speciaal was geweest. We bevonden ons, bij gebrek aan een beter woord, in een subjonctieve werkelijkheid.

Maar aan alle subjonctieven komt een eind en op een avond had de Studente besloten dat het tijd was. Het moment was aangebroken en de gordijnen gingen open.

4. Het toneelstuk

Een van de amusante experimenten met hypnose was die met een lange jongeman, bedeesd, bleek en bescheiden, die een bezemsteel werd gegeven met een laken errond, waarvan hem werd verteld dat het zijn vriendinnetje was. Hij accepteerde de situatie en zette zich neer naast de bezemsteel. Hij was in het begin een beetje schaapachtig, maar zijn zelfvertrouwen groeide en hij lachte haar toe als Malvolio naar Olivia. De manier waarop hij, beetje bij beetje, vertrouwd werd met de situatie, was al zeer grappig. Maar toen hij, in een moment van zelfzekerheid, haar rond het middel vastgreep en een kus op de borstel drukte, barstte het theater uit in gelach. De jongeman was doof voor elk geluid. Hij bleef geabsorbeerd in zijn hofmakerij en knuffelde de bezemsteel met een gezichtsuitdrukking die men enkel ziet bij geliefden en bruidegoms. 'De hele wereld houdt van geliefden,' zo gaat het gezegde, en de hele wereld houdt van lachen met deze jongeman.

- Complete Hypnotism, Mesmerism, Mind-Reading and Spiritualism 1

Het leven is een toneelstuk. Wie we ook zijn, wat we ook doen, we zijn allemaal acteurs. Soms is het plot onverwacht en zelfs vergezocht, maar soms is het zo overduidelijk, zo cliché, dat het haast onmogelijk is om niet in te spelen op die perfecte setting.

Een warme avond ergens in een geïsoleerd huis. Wijn, kaarsen, rozige stilte en een jonge vrouw die slechts centimeters verwijderd is van een oudere, maar desalniettemin knappe man. Soms kan het zogenaamde lot niet genegeerd worden.

Dus speel ik mijn rol zoals dat mijn plicht is.

De man zegt iets, een kleine lach met een gemeen trekje dat om zijn mond speelt. Ik lach uitbundig – zoals het een goede actrice betaamt – en leun naar hem toe, waardoor onze monden nu slechts millimeters van elkaar verwijderd zijn. Ook de man kent zijn rol; hij weet wat van hem verwacht wordt. Met de zachtheid van een nieuwe geliefde streelt hij het haar uit mijn nek en kust de plaats die hij net beroerde. Ik zucht tevreden, want alles verloopt perfect volgens plan.

Of ik dat leuk vind, wil de man weten. Ik bijt zachtjes op mijn lip en knik, mijn ogen half geloken. De man grijnst wederom, want dit voedt zijn zelfvertrouwen. Hij kent de kunsten van de liefde, heeft ze al menig keren toegepast. Hij meent te weten wat het vrouwenhart begeert. Maar doet hij dat werkelijk?

Ken uzelf – er schuilt waarheid in die uitspraak.

Ik ken mezelf. Maar kent hij mij?

Ik betwijfel het.

Wat een macht geeft mij dat. Want wie ben ik eigenlijk voor de Dokter? Hij weet het niet. Misschien ben ik niets, of misschien ben ik alles. Wat hij wel weet is dat ik een vrouw ben. En een knappe vrouw laat geen enkel mannenhart on-bewogen. Dat geeft haar meer macht dan om het even welke man wenst toe te geven.

Ik heb macht over hem. Maar dat zal ik de Dokter nooit horen zeggen. Hoewel hij het wel denkt, vreest zelfs. Mis-schien ligt hij ervan wakker. Misschien voelt hij het als hij diep in mij klaarkomt, als hij merkt hoe ik hem omsluit en zijn kwetsbaarste zelf aan me vastketen. Misschien voelt hij het als ik hem kus, als ik mijn lippen langs de zijne laat dwalen, zijn mond rakend, maar onbereikbaarder dan ooit. Hij voelt het, maar weet hij het?

Ontkenning is een bedrieglijk iets.

Met die tong die zich langzaam een weg over mijn hals baant begint het. Het spel dat al eeuwen wordt beschreven door waaghalzen en hitsige poëten. Het spel dat eigenlijk niet meer zou mogen zijn dan een manier om de soort in stand te houden, maar zich op de een of andere mysterieuze wijze heeft ontwikkeld tot wat het vandaag is. Dat gecompliceerde, begeerde en verafschuwde taboe. Waarom zit er zoveel schaamte in iets dat zo natuurlijk is?

Vrouwen worden verwacht te doen wat hun echtgenoten van hen vragen. Ze horen enkel de man te laten klaarkomen en vervolgens zwanger te worden.

Misschien ligt daar de reden dat mensen die op hetzelfde geslacht vallen zo verafschuwd worden. Zij hebben enkel seks omdat ze er genot uit halen, een ongoddelijke en zondige beweegreden. Volgens sommigen zijn zogenaamde sodomieten tijdens hun jeugd getraumatiseerd en hebben ze daardoor afwijkende gevoelens ontwikkeld. Anderen vinden het waarschijnlijker dat er een biologische afwijking aanwezig is. Ik ben voorstander van de biologische hypothese. Ergens in onze hersenen beslist iets waar we opgewonden van worden. Het moet om een foutje in de ontwikkeling gaan, want aantrekking tot hetzelfde geslacht is nu eenmaal niet bevorderlijk voor de soort.

Dat betekent echter niet dat ik tegen het principe ben. Als ik kijk naar Londen en de vele mensen die er rondkrioelen, lijkt het me eerder verstandig om seks te hebben zonder het gevaar op voortplanting. Daarom had ik mijn persoonlijke dokter al op jonge leeftijd overtuigd om een diafragma bij me te steken. Dat is eigenlijk bedoeld om verzakkingen tegen te gaan, maar het helpt ook tegen ongewenste kinderen. Zo kan ik me zonder angst overgeven aan alle vleselijke lusten die mijn hart begeert.

Die eerste avond vrijen we alsof we elkaar nog nooit hadden ontmoet. Beiden twijfelend, onzeker over de voorkeuren van de ander, maar koppig overtuigd van onze eigen vaardigheden. Na die eerste voorzichtige kus en de strelende aanrakingen van een minnaar die probeert zijn hoofd bij de zaak te houden, kwam het dier in ons naar boven.

Hij besloot om ineens tot actie over te gaan en drukte me achterover in de zetel. Met die handeling dacht hij de controle te nemen, maar ik zag de lust in zijn ogen en wist dat hij de meest primitieve controle – die over zijn eigen lichaam – al verloren had. Het deed er niet toe. Ik speelde mijn rol en liet me achterover drukken. Ik gaf me over aan zijn verkennende strelingen. Toen hij eindelijk bij me binnendrong, voelde het alsof ik thuiskwam. Het was veel te lang geleden. Hij nam me met die dierlijke drang van een man, aangepast aan de gevoeligheden van de vrouwen die hij gewoon was.

Maar dat was niet de vrouw die ik was.

Ik nam zijn nek vast en bracht onze gezichten vlak bij elkaar.

'Neem me alsof u me haat. Alsof u mij kan uitwissen. Neem me harder.'

Zijn heupen stilden even terwijl hij in mijn ogen zocht naar de betekenis achter dit bevel. Maar ik haakte mijn benen vast rond zijn middel en dwong hem dieper in mij.

'Harder. Nu.'

Hij gehoorzaamde. Hij nam me zo hard dat ik wist dat het nog uren zou nazinderen. Ik kwam langgerekt klaar, mijn benen trillend rond hem. Toen hij klaar was, rolde hij van me af. Hij durfde me niet goed in de ogen te kijken, bang dat hij tekenen van pijn op mijn gezicht zou zien. Die zou hij niet vinden. Deze pijn was uiteindelijk gewoon een alternatieve vorm van genot. Een herinnering aan het gevoel gevuld te zijn dat met niets te vergelijken viel.

Het was subliem.

Achteraf lag hij op zijn buik naast me op het tapijt en had ik alle tijd om zijn rug te bewonderen. Ik zag de rode strepen die mijn vingernagels daar hadden achtergelaten en traceerde ze lichtjes met mijn vingertoppen. Op een enkele plaats kwam er een klein druppeltje bloed aan de oppervlakte. Het deed zijn rug op een canvas lijken dat juist geschilderd was.

De rug is voor mij het hoogtepunt van de mannelijke schoonheid. Het is een zwaar ondergewaardeerd lichaamsdeel. Het vertelt vaak veel over iemands persoonlijkheid. De rug liegt niet.

Vaak is de rug ongeschonden, sterk zelfs, met licht opbollende spieren, of gebruind van werken in de zon. Soms is hij licht gebogen, alsof de eigenaar zich probeert te verstoppen voor wie hij werkelijk is, en soms staat hij fier rechtop. De Dokter heeft een prachtige rug. Getraind en gebruind, en opmerkelijk gaaf voor zijn leeftijd. De rug van een man die om zijn uiterlijk geeft en nooit veel tegenspoed heeft gekend. De rug van een sterke man, die weet hoe hij moet liefhebben. Dat was een kunst die hij zeker beheerste.

Ik bestudeerde mijn vingernagels en wist dat zijn huid daaronder moest zitten. Als ik nu stierf, zouden ze stukjes van hem terugvinden bij de autopsie. Die gedachte wond me vreselijk op. Wanneer de krassen zijn vervaagd ga ik er nieuwe zetten. Ik zal mezelf in zijn rug etsen en ervoor zorgen dat hij zijn eigen bloed proeft als hij aan mijn vinger zuigt. Dat zal mijn erfenis zijn.

Deze ochtend wist ik nog niet dat ik mijn toneelstuk eindelijk in gang zou zetten. De dag was normaal begonnen. Uitzonderlijk goed weer, dat wel. Zelfs nu kan ik nog de heldere schemering door het raam zien komen. Er is niets zo optimistisch als de Britse zon. Ze blijft terugkomen, ook al wordt ze steevast verjaagd door wolken of regen. De dag smeekte erom om buiten doorgebracht te worden. Dus trok ik het minimaalste van kleding aan en spreidde me uit in de ochtendzon met een ludiek boek over hypnose. Mijn rok was hoog genoeg gekropen dat ik de zon op mijn dijen voelde branden. Ik voelde de blik van de Dokter op me en wist dat hij zijn geduld aan het verliezen was. Zijn ongenoegen was de enige reden dat ik hem zelf nog niet besprongen had. Het wakkerde mijn koppigheid aan.

Het werd al snel te warm in de zon en ik zocht niet veel later koelere oorden op. Aangekomen bij mijn vaste stoel, voelde ik een plotse afkeer voor dat deel van mijn routine. Er was een rusteloosheid in me geslopen die waarschijnlijk te maken had met het warme weer. Ik besloot om een andere plaats te zoeken.

Toen ik mijn spullen had uitgepakt die eerste avond, kon ik niet wachten om het huis van de Dokter grondig te verkennen. Maar omdat ik hier een tijdje zou blijven, leek het me beter mijn ontdekkingstocht wat te spreiden. Daarom was ik zelfs na een aantal weken zijn bibliotheek nog niet binnengegaan. Hij had me ook niet gevraagd om het schoon te maken, misschien omdat hij het als zijn private plek beschouwde. Maar na alle wetenschappelijke werken die hij me had gegeven, had ik nog eens zin in een goede roman.

De bibliotheek rook bedompt, ondanks alle tijd die hij er spendeerde. De stijl was consistent met de rest van het huis, dat oud was maar knap gerenoveerd. Het had de uitstraling van een plaats waar veel voor betaald was om het er smaakvol te laten uitzien, maar waar geen persoonlijke inmenging bij was komen kijken. Zijn vaste verzameling curiositeiten die ook in de bibliotheek niet ontbraken, stonden wat verloren in de kamers.

In de boekenkasten stonden allerlei rariteiten zorgvuldig tussen de boeken gerangschikt. Van een overdadig versierde boekenhouder met een zeldzaam boek erop tot een opengesneden diertje op sterk water. Op het zware bureau was een duur uitziende pen met briefpapier uitgestald. Een grote wereldbol had een plaats naast de deur gekregen en op de vensterbank vond ik een exotische plant die lichtjes uitgedroogd leek. Het geheel gaf een intrigerende en stoffige indruk.

Ik liet mijn vinger over de boeken in de eerste kast dwalen. Het waren voornamelijk wetenschappelijke werken, gerangschikt volgens onderwerp. Het grootste deel daarvan was medisch, maar ik zag ook verschillende boeken over algemene wetenschappen, kunst en architectuur.

De laatste boekenkast, helemaal rechts, bevatte een bescheiden collectie literatuur. Ik zag een in leer gebonden reeks van het verzameld werk van William Shakespeare. De Dokter had ook boeken van oude Grieken zoals Hippocrates – de vader van de geneeskunde, geen verrassing daar – Homerus en Socrates. Er zaten verscheidene Franstalige boeken tussen van Victor Hugo en – hierbij kropen mijn wenkbrauwen naar boven – Markies de Sade. Ik nam er een van het schap. Ik kende de Sade van reputatie, maar had zijn boeken nooit gelezen. Mijn Frans is niet geweldig, maar hier en daar kon ik een passage begrijpen. Ik vroeg me af of de Dokter dit boek gelezen had. En of hij erdoor gechoqueerd was. Misschien was hij toch avontuurlijker dan ik had gedacht.

Ik zette het boek terug en liet mijn vinger over de rest van de ruggen glijden. Namen als Daniel Defoe, Jonathan Swift en William Thackeray herkende ik. Anderen als Henry Fielding en Laurence Sterne kwamen me niet meteen bekend voor. Ik bladerde even in dat van Sterne – *Tristam Shandy* heette het – maar gaf het al snel op. Zijn zinnen leken geen leestekens te bevatten en ik kwam zelfs een pagina tegen die volledig zwart was. Noem me traditioneel, maar ik verkies leesbare boeken. Uiteindelijk koos ik voor *Wuthering Heights* van Emily Brontë. Het is een van mijn persoonlijke favorieten en ik had behoefte om een bekend boek te lezen.

Ik verkies de Brontë zusjes boven schrijvers zoals Jane Austen door de duistere kant die hun boeken bevatten. *Wuthering Heights* wordt vaak bezien als een romantisch boek, maar in werkelijkheid is het dat allesbehalve. Het gaat over hoe ver een man wilt gaan om het leven van een andere man te vernietigen. Geen van de hoofdpersonages maakt zichzelf geliefd bij de lezer. En toch kun je je verliezen in hun verhaal. Toch voelen we ons goed bij de keuzes die zij maken, ook al worden meerdere generaties het slachtoffer van hun bodemloze wraaklust. Dat zulke verhalen van de hand van een vrouw komen vind ik inspirerend.

Mijn verblijf in de bibliotheek in het gezelschap van Heathcliff zorgde ervoor dat ik net als hem vervuld raakte met de wens om iets te dóén. Misschien was dat de enige reden dat ik besloot om eindelijk de Dokter uit zijn lijden te verlossen. Maar hebben we werkelijk een andere reden nodig om iets te ondernemen?

Rusteloosheid is soms het enige wat ons die laatste stap laat zetten. Het zijn de rusteloze mensen die iets bereiken in dit leven. Zij die tevreden zijn met hun kleine bestaan zullen daar nooit in slagen, omdat ze er simpelweg het nut niet van inzien. Ik ben al sinds mijn aankomst in dit huis op zoek naar de rusteloosheid die de Dokter vroeger tot grootse dingen heeft gedreven en ik vind het nergens. Dit is het ware mysterie voor me. De man die ik via reputatie kende, zou nooit tevreden kunnen zijn met dit bestaan. Als hij zich 's nachts niet in de Londense pubs bevond, was hij thuis aan het werken. Die man was onophoudelijk bezig met zijn passie. Ik kan hem niet rijmen met de persoon die zijn dag doorbrengt al lezend of tuinierend, tevreden met het leventje dat hij heeft opgebouwd. Is zijn reputatie simpelweg overschat? Of is er iets gebeurd dat hem zo heeft veranderd?

Terwijl we daar samen op het tapijt lagen, vroeg hij me waarom ik uiteindelijk had besloten dat het tijd was. Ik antwoordde eerlijk dat het door *Wuthering Heights* kwam. Daar moest hij om lachen.

'Als ik dat had geweten, had ik je meteen gevraagd om eens in mijn boekenkast te gaan kijken.'

'Beeldt u eens in wat een erotisch boek kan doen voor mijn humeur.'

'O, daar ben ik volop mee bezig. Wat vond je van mijn collectie?'

'Een paar interessante keuzes. De klassiekers had ik verwacht. Defoe en Swift iets minder.'

'Ik ben opgegroeid met hun boeken. Sommige dingen blijven hangen.'

'Ik heb ook even in *Tristam Shandy* gebladerd, maar dat sprak me niet aan. Hebt u dat zelf gelezen?'

'Natuurlijk. Er is veel tijd en moeite in gekropen, maar ik was vastbesloten om het uit te krijgen. Het boek bevat soms rare passages en houdt op geen enkel punt rekening met chronologie, maar de bevrediging die je achteraf krijgt maakt veel goed.'

'Geef mij toch maar een duidelijker verhaal.'

'Zoals *Wuthering Heights*, bedoel je? Alsof dat zo'n logische opbouw heeft. Welke geestelijk gezonde persoon zou zo ver gaan om wraak te nemen?'

'Heathcliff is niet geestelijk gezond, dat lijkt me duidelijk. Het is in elk geval beter dan die romantische pulp van Austen.'

'Daar ben ik het mee eens. Vrouwelijke schrijvers zijn tegenwoordig niet meer te vermijden, zo lijkt het.'

'Maakt dat een verschil voor u?' reageerde ik wat kregelig. 'Kunst zou altijd gewaardeerd moeten kunnen worden, ongeacht wie het heeft gemaakt.'

'Je mag van je hoge paard komen, ik heb niets tegen vrouwelijke kunstenaars. We zijn tenslotte allemaal een beetje kunstenaar.'

'Ik beschouw mezelf eerder wetenschapster. In de geneeskunde is er geen plaats voor vage poëzie.'

'Integendeel, het is de poëzie die mensenlevens redt.'

'Hoe kan u dat nu zeggen als anatomist? Zonder onze gedetailleerde kennis van het menselijk lichaam hebben patiënten niets aan ons. Dat is exacte wetenschap en niets anders.'

'Studente, als je dat werkelijk denkt, heb ik je minder kunnen bijbrengen dan ik dacht. Het menselijk lichaam is eindeloos gevarieerd. Er lopen geen twee identieke mensen op de wereld rond. Het is onze taak om wat we weten soms aan de kant te schuiven en op ons instinct af te gaan. We moeten luisteren naar wat het lichaam ons vertelt, de indruk die we ervan krijgen. Jij zou enkel op cijfers vertrouwen en compleet de mist ingaan.'

'Daar kan ik het niet met u eens zijn. Het beste aan de geneeskunde is juist de onveranderlijkheid. Wat we leren over de werking van ons lichaam blijft een feit zolang er mensen bestaan. Wij scheppen orde in de chaos.'

'Chaos heeft een functie.'

'Wel, chaos kan godverdomme mijn kont kussen.'

De Dokter schoot in de lach alsof hij nog nooit een vrouw had horen vloeken. Misschien was dat ook wel zo. Zijn plezier was aanstekelijk en ik begon algauw mee te lachen. We lagen naast elkaar op de grond, hopeloos verstrikt in onze eigen lach, aangespoord door de ander.

Het was lang geleden dat ik nog zo vrijuit had gelachen. Ik voelde me weer even een klein meisje, onbezorgd en vrij, terwijl mijn buikspieren verkrampten en ik buiten adem raakte. Nadien was ik volledig ontspannen. Heel even had ik het gevoel dat ik niet moest acteren, me niet moest voordoen als iemand anders. Mijn grote scène voor vanavond was gespeeld en het doek mocht vallen. Morgen volgt opnieuw een dag.

5. De overgave

Het beroep van een dokter is gevarieerd en eindeloos gespecialiseerd, waardoor we de vrijheid hebben om te beslissen wat we graag willen doen. Voor mij was dat de anatomie. Ik spendeerde mijn tijd liever met de doden dan met de zieken. Zij waren minder geneigd om me tegen te spreken. Maar af en toe werd ik toch gevraagd om mijn expertise te verlenen voor een bepaalde patiënt en deed ik dat zonder al te veel tegenspartelen. Op een keer had iemand me ingeschakeld om te assisteren tijdens een gesprek met een gevangene die wachtte op de doodstraf. Ik vond het eigenaardig dat er meerdere dokters aanwezig moesten zijn bij een simpel onderzoek, maar mijn interesse was gewekt en ik was aanwezig op het gevraagde moment.

De man in kwestie was ongeveer veertig jaar en had zijn vonnis gekregen na meer dan een jaar vastgezeten te hebben. Hij was tenger van bouw en had een jongensachtig gezicht. Niets aan hem verraadde dat hij meer dan dertig levens op zijn geweten had. Maar zijn onschuldige uiterlijk was nu juist wat hem zo gevaarlijk maakte. Hij was ook arts geweest en had het bijzonder gemakkelijk gevonden om zijn slachtoffers mee te lokken. Stuk voor stuk hadden ze hem onvoorwaardelijk vertrouwd. Ook in de gevangenis stond hij ervoor bekend dat hij zijn medegevangenen en cipiers gemakkelijk voor zich kon winnen.

Daar lag ook de reden dat mijn collega zijn onderzoek liever niet alleen uitvoerde. Hij kende de man van vroeger en was bang om bedot te worden. Deze professionele, intelligente dokter vreesde dat hij om de tuin geleid zou worden door een gevangene. Dit maakte me alleen benieuwder om de moordenaar in kwestie te ontmoeten. Ik zou met hem converseren en een oogje in het zeil houden terwijl mijn collega de medische informatie vergaarde die hij nodig had.

Het gesprek dat volgde duurde misschien twintig minuten, maar zal me altijd bijblijven. Als ik ziek en oud ben en weet dat mijn tijd gekomen is, zal ik aan deze man denken en mezelf gelukkig prijzen dat ik nooit in zijn handen gevallen ben.

Zijn werkwijze was even specifiek als gruwelijk en hij was slim tewerk gegaan. Het was zijn grootheidswaanzin die hem uiteindelijk ten val had gebracht. De moorden waren niet langer genoeg voor hem geweest en hij snakte naar bekendheid. Hij wou berucht en gevreesd zijn, ook al betekende dat de doodstraf. Hij was bovendien een man die zich kon aanpassen aan alle omgevingen. Hij had het gevangenisleven aanvaard als een nieuw pak om te dragen. Het verlies van zijn carrière en vrijheid leek hem weinig te doen.

Ik praatte met hem over zijn kijk op het leven en zijn dagelijkse bezigheden. In slechts een paar minuten tijd slaagde hij erin om me compleet te doen vergeten wat hij had gedaan en begon ik hem sympathiek te vinden. Ik vergat dat hij mensen tot waanzin had gedreven, dat hij hele gezinnen had uitgemoord, inclusief de hond en de pasgeboren baby in het ledikant. Hij was simpelweg een aangename gesprekspartner.

Dat was verontrustend genoeg op zichzelf, maar niet de voornaamste reden dat deze man in mijn geheugen gegrift staat. Het was de blik in zijn ogen. In het begin van ons gesprek was hij helemaal ontspannen, alsof we gewoon in de pub zaten. Zijn houding was uitnodigend en hij had een aangename stem. Maar toen hij over zijn misdaden begon te vertellen, veranderde hij. Hij verloor zichzelf in het verhaal, zag alles terug voor zijn geestesoog en herbeleefde de momenten die hij ongetwijfeld beschouwde als de hoogtepunten van zijn leven. De blik die hij in zijn ogen kreeg deed me meer huiveren dan de woorden die over zijn lippen kwamen. Een hongerige blik, verteerd door een koorts die gewone mensen zich niet kunnen voorstellen.

Op een bepaald punt in zijn verhaal onderbrak ik hem om te vragen hoe hij zo was geworden. Wat er was misgelopen in zijn jeugd. Hij liet bedachtzaam een lange vinger tegen zijn onderlip rusten. Ik zag haast hoe het dier in hem wakker werd en snuffelend de lucht testte.

'Er is niets misgelopen. Dat is waar veel mensen de fout ingaan. Ik heb een gelukkige kindertijd gehad, met brave ouders. Mijn probleem zit veel dieper dan dat. Hebt u ooit echte honger gekend in uw leven, dokter? En dan bedoel ik niet door het overslaan van een maaltijd, maar een knagend, chronisch tekort aan voedsel. Voortdurend te weinig op je bord krijgen en met honger naar bed gaan.'

'Nee, ik kan niet zeggen dat ik dat al heb meegemaakt.'

'Maar ik neem aan dat u sympathie voelt voor diegenen die daar wel mee geconfronteerd worden?'

'Uiteraard, in een ideale wereld zou niemand honger lijden.'

'Dan moet u begrijpen dat honger zich op vele manieren kan manifesteren. Ik heb ook altijd genoeg te eten gehad, wij kwamen thuis niets tekort. Mijn honger was van een heel andere aard. Het is moeilijk te zeggen wanneer het juist begon. Ik denk dat het altijd al aanwezig is geweest, sluimerend, wachtend tot ik oud genoeg was. Het werd steeds moeilijker te negeren, als een pijn die constant aanwezig was zonder kans op verlossing. Dat dacht ik tenminste. Mijn ouders waren god-vrezende mensen en ze hebben me altijd de regels van onze samenleving voorgehouden. Zij waren deel van de reden dat ik me zo lang heb ingehouden. De geneeskunde heeft ook gehol-pen. Die gaf me een geldige reden om een scalpel in de hand te nemen. Maar ik moest zo voorzichtig blijven. Niemand mocht sterven. Ik mocht niemand onnodig pijn berokkenen.'

Hij zei het met een zuur trekje rond zijn mond, alsof hij het nog steeds eigenaardig vond dat zijn ex-collega's zo kleinden-kend waren.

'Het was maar een tijdelijke oplossing. Maar het gaf me wel de positie om snel het vertrouwen van mensen te winnen. Toen de honger uiteindelijk mijn leven overnam, gingen mijn maatschappelijke regels het raam uit.'

Hij spreidde zijn armen, in een gebaar dat aantoonde dat de uiteindelijke schuld niet bij hem te zoeken viel. Hij was slechts het slachtoffer van zijn honger. Ik weet niet of hij dat zelf ge-loofde of niet. Dit was een man die een groot deel van zijn leven had besteed aan het uitdenken van methodes om andere menselijke wezens zoveel mogelijk pijn toe te dienen. Mentale en fysieke pijn, het breken van hun geest en lichaam. Ik begon dan pas te zien hoe diep zijn genot zat, hoe onlosmakelijk het verbonden was met zijn persoonlijkheid. Hij was zelf de hon-ger die hij zo adequaat had omschreven. Hij bestond enkel en alleen voor de pijn van zijn slachtoffers.

Er waren momenten dat ik diezelfde honger in de ogen van de Studente zag. Voor haar was domineren geen spelletje, het was een noodzaak. De controle uit handen geven was voor haar ondenkbaar. In plaats daarvan manipuleerde ze de situatie en de mensen rond haar om ze te laten denken dat zij de controle hadden. Ze veinsde de overgave die ze zo graag bij andere mensen zag zodat ze minder op hun hoede zouden zijn. Ook in mijn geval werkte die techniek perfect.

Tijdens de lange avonden in mijn afgelegen huis was er niet veel te doen. We wisselden af tussen lezen, vrijen en het houden van hevige discussies. Soms zaten we tegenover elkaar in de sofa, maar op zeldzame momenten vlijde ze zich tegen me aan. Dat waren de momenten waar ik ongemakkelijk van werd. Het was intiemer dan zo'n simpele houding zou mogen zijn. Waarschijnlijk was het een poging om me uit mijn concentratie te halen, maar soms voelde het ook alsof ze het werkelijk nodig had. Alsof ze wanhopig naar menselijk contact verlangde, maar niet wist hoe ze erom moest vragen. Dus liet ik het toe en genoot van de warmte van een ander lichaam tegen het mijne.

Als ze het echter niet eens was met me, kon ze plots ijskoud worden. De Studente had geen geduld voor mensen die haar mening niet deelden. Dan werd ze gemeen. Sommige mensen voelen feilloos aan waarmee ze iemand het meeste pijn kunnen doen en ook zij wist bij mij die zwakke plek steeds te vinden. Misschien dat anderen zich slecht zouden voelen en zich zelfs zouden verontschuldigen als ze zagen dat hun woorden wel degelijk aankwamen. Zo was de Studente echter niet. Zij haalde er plezier uit. Ze zag het als een gepaste straf. Op zulke momenten verloor ze heel even haar weloverwogen masker en zag ik die honger in haar ogen. Soms was ik daadwerkelijk bang van haar.

Er waren ook momenten wanneer we in bed lagen dat ik wist dat ze zich fysiek moest inhouden om me geen pijn te doen. Meer dan het genot dat ze wou onttrekken, verlangde ze naar mijn pijn. Ik merkte het aan haar gespannen spieren, aan haar handen die langs mijn hals gleden, onzeker of ze daar zouden blijven hangen of niet. Ik merkte het aan de smaak van bloed die in haar mond zat wanneer ze te hard op haar wang had gebeten. Ze wou me horen schreeuwen en weten dat zij daar de oorzaak van was, dat enkel zij besliste wat er ging gebeuren. Ze was, in een zekere zin, niet verschillend van de sadist die ik in de gevangenis had ontmoet.

Maar dat waren sporadische momenten. Op alle andere gebieden was de Studente een voorbeeldige leerlinge. Toen er een week na het eerste een nieuw lijk arriveerde – ik had gevraagd om ze aan iets hogere frequentie te laten komen – liet ik haar een deel van het werk doen. Ze had een vaste hand en aandacht voor details. Zelden moest ik onderbreken om haar aan iets te herinneren. Alles wat ik vertelde leek ze op te zuigen als een spons. Haar geheugen was fenomenaal, ik betrapte mezelf erop jaloers te zijn.

Ook in haar andere opdrachten deed ze haar best om me te slim af te zijn. Ze hield ervan om in haar schrijfsels verhalen te vertellen die mij inzicht zouden moeten geven in haar psyche, om me dan achteraf uit te lachen als ik dat tegen haar probeerde te gebruiken. Ik wist nooit wanneer ze de waarheid vertelde.

Ze had op slinkse wijze mijn leven overgenomen, ook al had ik me lang geleden voorgenomen om nooit meer een vrouw zo veel macht over me te geven. Het leek haar doel te zijn om me alle regels te laten breken. Zelfs mijn routine was veranderd. Nu was enkel de dag nog mijn terrein. Ik bepaalde hoe die er zou uitzien en keek tevreden toe terwijl zij voor me kookte en poetste. Ik las haar schrijfsels, ondervroeg haar over de boeken die ze had bestudeerd en deed mijn uiterste best om haar zelfvertrouwen te ondermijnen. Dat was niet gemakkelijk, want ze was werkelijk een goede dokter. Maar het is beter om volledig ontdaan te zijn van illusies als het gaat om je eigen werk. Ik wou dat ze naar zichzelf keek en telkens opnieuw dingen zag die beter konden. Een dokter mag nooit tevreden zijn. Wij zijn tenslotte degenen waar mensen naartoe gaan als ze op hun wanhopigst zijn.

In bed draaiden de rollen om. Dan was zij degene die de orders gaf en ik degene die ze opvolgde. Ik had mezelf nooit als een onderdanig persoon beschouwd en om eerlijk te zijn voelde ik me er ook niet altijd even goed bij. In het begin begreep ik niet waarom ik me zo gewillig aan haar overgaf. Maar toen ik het eindelijk doorhad, wist ik dat ik het nooit aan de Studente kon vertellen.

Ik was bekend genoeg met schrijvers als Markies de Sade om te weten dat er zoiets bestond als vaste rollen in bed. Ik kon me ook voorstellen waarom sommige mannen hiervoor zouden kiezen. Het geeft hun de kans om te ontsnappen aan de constante ijzeren greep die ze op hun gewone leven moeten behouden. Voor mij zat het anders. Het was niet de onderdanigheid die me interesseerde, maar wel dat ze enkel met mij bezig was. Op dat moment was haar volledige, obsessieve aandacht op mij gevestigd. Daar genoot ik intens van. Dan kon ik doen alsof ze werkelijk van mij was, hoewel ik goed wist dat ze dat nooit zou zijn.

Tijdens mijn wildere jaren was het af en toe voorgevallen dat ik op een exclusievere locatie belandde. Bepaalde feestjes in Londen, meestal enkel toegankelijk voor zij die wisten waar ze naar op zoek waren, boden ongewone diensten aan hun gasten. Ik heb gezien hoe jonge mannen en vrouwen vastgebonden en tot bloedens toe geslagen werden. Anderen kropen rond op de grond, klaar om alle orders op te volgen van hun superieuren. Nog anderen zaten op de schoot van een oudere man, met een leiband strak rond hun hals gebonden en een lege blik in hun ogen. Ik voelde me daar heel ongemakkelijk bij. Of misschien kon ik er gewoon niet over oordelen. Ik bleef nooit lang op zulke gelegenheden.

Met de komst van de Studente had onderwerping een heel andere invulling gekregen. Daarom vond ik het plots geen onmogelijke eis meer om me aan haar over te geven. Het woord 'overgave' betekent verschillende dingen voor verschillende mensen. Ik heb het altijd als iets negatiefs gezien. Als het onderspit delven wanneer ik de sterkste had moeten zijn. Ik was iemand die van alles een competitie maakte, voornamelijk van alledaagse dingen die eigenlijk eenvoudig zouden moeten zijn.

Je zou zelfs kunnen zeggen dat ik een fan was van zwakheid. Het was een eigenschap die ik graag zag terugkomen in andere mensen. Want waar zij zwak waren, kon ik sterk zijn. Waar zij faalden, kon ik slagen en laten zien dat ik de beste was. Ik schepte genoegen in het bewijzen van mijn superioriteit. Tijdens mijn opleiding deed ik dat door hoge punten te halen en schokkende verhalen te vertellen. Later deed ik dat door de luidste te zijn op feestjes, degene met de gewichtigste meningen en de controversieelste standpunten. Elke keer dat ik mijn boek signeerde of van iemand te horen kreeg wat het voor hen had betekend, voelde ik die machtsroes. Elke keer wanneer iemand zich vrijwillig aan me onderschikte, zichzelf als minderwaardig beschouwde in mijn aanwezigheid, kon ik mijn arrogantie verder voeden. Als ik iemand tegenkwam met dezelfde strijdlust, zou ik eerder wegwandelen van de uitdaging dan de kans lopen om te verliezen. Mijn reputatie was alles voor me.

De Studente had het slim aangepakt. Ze had alle bezwaren die ik gehad zou kunnen hebben reeds afgebroken voor ze de eerste keer met me naar bed ging. Eigenlijk had ik moeten weten dat ze niet zomaar onderdanig zou worden als we seks hadden. Het was nu eenmaal niet wie ze was. Die dominantie uitte zich in de eenvoudigste dingen, zoals de passie waarmee ze spelletjes speelt.

Ik heb niet veel spelen in huis, maar elke zichzelf respecterende man moet naar mijn mening een schaakbord bezitten. Ik was er nogal competitief in geweest tijdens mijn universitaire jaren en was een bedreven speler. Toen de Studente het schaakbord vond, was ze vastbesloten om een spelletje met me te spelen.

'Kom, zet u achter die tafel en bereidt u voor op een nederlaag.'

Daar kon ik niet aan weerstaan.

'Wit begint,' zei ze meteen en keek me verwachtingsvol aan.

Dat eerste spelletje duurde niet bijster lang. Ik merkte in de eerste paar zetten dat ze me had onderschat en dat gebruikte ik tegen haar. Het duurde tien minuten om haar schaakmat te zetten.

'Hoe smaakt de nederlaag?' vroeg ik haar fijntjes.

Ze antwoordde niet, maar er was een verbeten trek rond haar mond verschenen. Zonder oogcontact te maken, zette ze het bord terug goed en trommelde ongeduldig met haar vingers op de tafel.

'Krijg ik zelfs de kans niet om wat te genieten van mijn overwinning?'

'Speel gewoon, oude man. En verwacht maar niet dat u dat een tweede keer zal lukken.'

Ze bleek gelijk te hebben. De drie spelletjes die volgden werden gespeeld met een intensiteit die me beangstigde. Pas na drie keer gewonnen te hebben, ontspande ze weer wat en begon ze me te plagen met beginnersgeluk en dat ik me maar beter kon onderschikken. Ik had alweer een belangrijke les geleerd die dag. De Studente kon niet tegen haar verlies.

Op zulke avonden viel me op hoe beschadigd de Studente was, al wist ik toen nog niet waarom. Ze was een vat vol tegenstrijdigheden, mijn jonge minnares. Een verlegen schoolmeisje, met een haast verbaasde blik in haar ogen als ze een goed antwoord had gegeven. Een speelse, goedlachse vrouw die mijn dagen probeerde te vullen met iets substantiëlers dan tuinieren en lezen. Een ervaren en elegante dame die me verleidde toen zij vond dat het daar tijd voor geworden was. Een wrede meesteres die altijd de controle moest hebben. Een wetenschapster, geïnteresseerd in alle aspecten van het leven en vastbesloten om het volledig te ontleden. Een schrijfster, die diezelfde aspecten opnieuw onder de loep nam en er verhalen mee spon.

De Studente was al deze vrouwen en meer. Ze was gecompliceerd, intelligent, wispelturig, standvastig en gebroken. Dat wist ik al toen ik haar leerde kennen, maar ik had besloten om het te negeren. En dat maakte ze me maar al te gemakkelijk. Hoe langer ik in haar gezelschap vertoefde, hoe sterker haar macht over me werd. Ik gaf me over aan haar. Ik gaf me volledig en duizelingwekkend snel over aan haar. En ik had er geen moment spijt van.

6. Nieuwe hoogten

Sadisme, vooral in zijn rudimentaire manifestaties, lijkt veel-voorkomend in het domein van de seksuele perversie. Het wordt omschreven als het ervaren van seksueel plezierige sensaties (met orgasme) bij daden van wreedheid en lijfstraffen op mensen of dieren. Het kan ook bestaan uit het verlangen om te vernederen, pijnigen, verwonden of zelfs vernietigen van anderen om seksuele bevrediging te verkrijgen.

Dat sadisme – een perversie die meestal bij mannen wordt gevonden – minder frequent is bij vrouwen, kan eenvoudig worden verklaard. Ten eerste heeft sadisme een meer mannelijk seksueel karakter en vraagt het de submissie van iemand van het andere geslacht. Ten tweede zijn de obstakels die een vrouw moet overwinnen om deze monstrueuze impuls te uiten groter dan bij een man. Toch komt sadisme ook voor bij vrouwen, wat enkel kan worden uitgelegd aan de hand van het primaire element: algemene hyper-excitatie van het motorisch systeem.

- Psychopathia Sexualis[8]

Als je naar het grote geheel kijkt, kan een mensenleven niet als erg belangrijk worden beschouwd. Slechts enkelen hebben de eer om herinnerd te worden door volgende generaties. En toch blijven we allemaal onvermoeibaar proberen om ons leven waarde te geven. Sommigen doen dat via hun beroep, religie of door een familie te stichten. Anderen kiezen voor beroemdheid of beruchtheid. Niemand is het erover eens wat een leven nu waarde geeft en hoe belangrijk of zelfs maar nuttig het is.

Naar mijn mening maakt het niet uit door wie je wordt herinnerd of door hoeveel mensen, maar wat ze van je herinneren.

Voor mij zijn nieuwe ervaringen belangrijker dan de potentiële risico's die eraan verbonden zijn. Ik wil mijn lichaam en mijn geest kunnen testen in extreme situaties. Zo kan ik ook begrijpen wat mensen bedoelen als ze praten over honger of pijn. Tijdens mijn opleiding gebeurde het bijvoorbeeld dat ik een aantal dagen niet at om te zien welke effecten het had op mijn motoriek en concentratievermogen. Een andere keer ging ik dan een tijd zonder slaap om de gevolgen daarvan te observeren. Ik heb altijd die neiging tot experimenteren gehad. De wetenschapster in me wilt het menselijk lichaam leren kennen in alle situaties, niet enkel in mijn vertrouwde omgeving.

Dankzij die experimenten kan ik zeggen dat ik mijn lichaam beter ken dan de gemiddelde persoon. Masturbatie, bijvoorbeeld, is een eerder obscure manier om je seksualiteit uit te drukken, maar wel optimaal om je eigen lichaam te leren kennen. Ik heb afgewisseld in frequentie, momenten in de dag en de manier waarop. Ik heb zelfstimulatie tot kunst verheven, tot een therapie zelfs. Het vermindert mijn spanningshoofdpijnen aanzienlijk, maakt me gelukkiger en meer ontspannen, en geeft me bovendien een voordeel bij seksuele contacten met andere mensen, omdat ik tenminste al een van beide lichamen grondig ken.

Niet iedereen is het op dit vlak met me eens. De meesten beschouwen masturbatie als iets zondigs. Zozeer zelfs dat vrouwen geacht worden naar hun dokter te gaan om hun seksuele frustraties op te lossen. Niet naar hun man, die regelmatig zijn orgasmes in hen deponeert, niet naar zichzelf, maar naar hun dokter. Een aantal mannelijke dokters had namelijk een tijdje geleden besloten dat hysterie – de ziekte die niemand fatsoenlijk kan definiëren omdat ze enkel bestaat om vrouwen klein te houden – gemakkelijk opgelost kon worden met regelmatige orgasmes. De patiëntes in kwestie waren er in elk geval niet tegen. De dokters hadden echter de populariteit van de behandeling niet voorzien, en begonnen na verscheidene handblessures in de richting te kijken van de opkomende technologie. Ze zijn erin geslaagd om een machine te bouwen die een vrouw tot een orgasme kan brengen. Ik heb me er nog geen kunnen aanschaffen, maar gelukkig doen mijn vingers hun werk nog prima.

Mijn aangeleerde technieken paste ik dus zorgvuldig toe tijdens de contacten tussen de Dokter en mij. Na die eerste zorgvuldig geënsceneerde keer ben ik iets vrijgeviger geworden met mijn lichaam. We kregen de gewoonte om op willekeurige momenten tijdens de dag in bed te belanden, of gewoon op de vloer waar we stonden onze lusten te bevredigen. Hij kon me goed bijhouden, iets waar ik gezien zijn leeftijd niet helemaal zeker van was geweest. Ik heb hem verrassend weinig moeten bijleren. De man is niet alleen geïnteresseerd in zijn eigen genot, zoals bij zoveel anderen helaas wel het geval is.

Ik had het niet gepland, maar toen we op een dag wat loom in bed lagen, kreeg ik een plotse vlaag van inspiratie. Hij was in de perfecte stemming en het zou me meteen iets interessants geven om over te schrijven. Daarom besloot ik om hem een kant van vrijen te laten zien die hij zeker nog niet zou hebben ervaren.

Ik duwde hem met een hand op zijn borstkas tegen de matras en zorgde dat ik schrijlings op hem kwam te zitten. Vanuit deze positie liet ik hem zijn benen optrekken, waardoor hij zich in al zijn kwetsbaarheid voor me uitspreidde. Traag likte ik aan mijn vinger en bood die daarna ook aan zijn mond aan. Hij accepteerde hem meteen en zoog er gretig aan. Vervolgens liet ik hem afdwalen naar een plaats die nog onontgonnen terrein was. Ik gleed gemakkelijker naar binnen dan verwacht, zijn lichaam al soepel van de sappen die we eerder hadden uitgewisseld. Er ontsnapte een verraste kreun aan zijn mond en ik zag zijn pupillen licht verwijden. Die simpele reactie was ongelooflijk opwindend. Er zijn weinig dingen beter dan iemand zien genieten van dingen die jij doet. Die onderwerping riep in mij een primitief lustgevoel op. Met mijn vingertop raakte ik heel even zijn prostaat en er ging een spasme van plezier door zijn lichaam. Die sensatie had hij duidelijk nooit eerder ervaren.

Zijn vermoeide lichaam begon alweer te reageren op wat ik aan het doen was en ik voelde hem lichtjes trillen onder me, van verlangen of misschien van nervositeit. Hier lag een man die overgeleverd was aan mijn wil en alles zou doen in ruil voor een orgasme. Maar daar was het nog te vroeg voor. Ik had heel wat andere plannen met hem.

Zonder ons oogcontact te verbreken tastte ik in het nachtkastje naast mijn bed op zoek naar mijn favoriete hulpmiddel. Met een lachje haalde ik het boven en ik genoot van zijn verbaasde uitdrukking. Hij kon al raden wat ik ermee ging doen. Mannen hebben de neiging om seks vrij rechtlijnig te zien. De man neemt de vrouw en de vrouw ondergaat. Maar niet veel mannen kunnen zeggen dat ze al genomen zijn door een vrouw.

Het houten instrument dat ik erbij had gehaald is niet zo bekend. Velen weten zelfs niet dat deze vorm van seks bestaat. Tijd om daar verandering in te brengen. Nu kon hij eens ervaren hoe het voelt om opgevuld te worden door iemand anders en hoe opwindend dat kan zijn. Voorzichtig kromde ik mijn vinger naar binnen en grijnsde toen hij opnieuw naar adem snakte en zijn ogen sloot bij het plotse contact met zijn prostaat.

Ik likte traag over zijn lippen, over zijn jukbeenderen en oogleden, terwijl ik er behoedzaam een tweede en daarna een derde vinger bij duwde, hem ontvankelijk maakte voor wat ik in mijn andere hand hield. Hij ademde zwaar en ik voelde het bewijs van zijn opwinding pulseren tegen mijn buik.

Na wat een lange tijd leek, liet ik mijn vingers uit hem glijden en verving ze door iets substantiëlers. Hij verstarde even en ik voelde hoe zijn spieren zich opspanden. Sussend kuste ik zijn nek opnieuw en wreef met mijn andere hand over zijn borstkas.

'Wees niet bang, de vingers voelden toch lekker, niet? Dit is hetzelfde, enkel wat groter. Laat het over u komen. Geef uzelf over en geniet.'

Langzaam ontspande hij zich en ik liet het voorwerp wat verder naar binnen glijden. Toen ik merkte dat zijn weerstand gebroken was, duwde ik het er helemaal in. Hij snakte naar adem en zijn handen klauwden in het deken onder hem. Zijn erectie was flink geslonken, maar ik was volop bezig met mijn tong om hem terug op volle sterkte te krijgen.

'Dat voelt lekker, niet? Nu ga ik u nemen zoals u dat al talloze keren met mij hebt gedaan. Of hebt u liever dat ik stop?'

Hij schudde zijn hoofd.

'Zeg het. Ik wil het u horen zeggen.'

Hij bleef schudden met zijn hoofd, dus veranderde ik mijn positie in hem lichtjes zodat er opnieuw langs de kleine klier gegleden werd. Hij vloekte luid en riep haast de woorden die ik wou horen.

'Neem me, alsjeblieft.'

Dat deed het voor mij. Ik situeerde me tussen zijn benen en gebruikte mijn hulpmiddel als een extensie van mezelf. Langzaam begon ik het tempo op te drijven. Hij kronkelde onder me, niet wetend of hij wou wegtrekken of terugduwen tegen de indringing. Bij een bijzonder ruwe stoot tegen zijn prostaat, sloot hij zijn ogen en schokte zijn lichaam, nu al dicht bij een orgasme. Maar ik wou in zijn ogen kijken wanneer dat gebeurde.

'Kijk me aan.'

Hij gehoorzaamde meteen en ik zag de totale overweldiging in zijn blik. Op dat moment kon ik zien wie hij werkelijk was. Hij kon zichzelf niet meer verbergen. Ik keek voorbij zijn masker en zag de tegenstrijdige emoties die daar woelden. Ik zag de angst en de fierheid die hem hadden gemaakt tot de man die nu onder mij lag.

Met een knik van mijn hoofd gaf ik hem de toestemming die hij nodig had om zijn hoogtepunt te bereiken. Hij liet een langgerekte, wanhopige kreun ontsnappen en zijn lichaam verstijfde volledig voor hij begon te komen. Gedurende dit alles verbrak hij ons oogcontact niet.

Ik was in de ban van zijn overgave, die zo perfect en volledig was in dat moment dat het mijn adem wegnam. Hij was eindelijk menselijk en imperfect voor me geworden, besefte ik. Maar in plaats van teleurstelling voelde ik een zekere soort trots. Niet veel mensen hebben deze kant van hem al te zien gekregen. Dit was de Dokter en hij was prachtig.

Vandaag heb ik hem een ervaring gegeven waarvan ik zeker ben dat hij die nog niet eerder had meegemaakt. Met dat simpele feit heb ik ervoor gezorgd dat ik op weer een nieuwe manier gelinkt ben aan zijn herinneringen en aan zijn leven. Door die daad heeft mijn leven alweer een zekere waarde gewonnen.

Seks en ontbering zijn niet de enige dingen waarmee ik heb geëxperimenteerd. Ik kan me nog goed het moment herinneren wanneer ik andere methoden van geestesverruiming ontdekte. Ik was dertien en op weg naar het park met mijn moeder. We namen een andere route dan gewoonlijk om een opgebroken straat te vermijden. Dit leidde ons door een deel van Londen waar ik nog nooit was geweest. Op een gegeven moment passeerden we een café net wanneer er enkele heren buitenkwamen. Ze liepen nogal vreemd en gebruikten elkaar om rechtop te blijven. Ik bekeek hen nieuwsgierig en een van de mannen maakte oogcontact met me. Zijn ogen keken recht naar me, maar zijn blik stond op oneindig. Mijn jonge brein kon maar niet bedenken wat de oorzaak van zo'n blik zou kunnen zijn.

Mijn moeder merkte de man op en sleurde me verder aan mijn arm. Toen we in het park aankwamen, legde ze me uit dat niet iedereen goed functioneert in deze samenleving en sommigen daarom manieren zoeken om te ontsnappen. Ze vertelde me over opium, wat gerookt wordt om mensen hun eigen bestaan te laten vergeten. En dat sommigen daarbij ook zichzelf verliezen. Die gedachte joeg me ongekende angst aan. Maar in de jaren die volgden begon ik beter te begrijpen waarom mensen soms aan zichzelf willen ontsnappen.

Het duurde echter nog een tijdje – ik studeerde al geneeskunde – vooraleer ik de beruchte opiumpijp eindelijk aan mijn lippen zette. Enkele medestudenten hadden me meegenomen naar een plaats waar gerookt werd. Het dertienjarige meisje dat medelijden had gehad met de wankelende mannen bestond al lang niet meer, nu restte enkel de nieuwsgierigheid naar de roes die iedereen beloofde.

Het was niet de laatste keer dat ik het deed. Ik had al snel door waarom zovelen er afhankelijk van waren. Het gevoel dat een opiumroes opwekt valt met weinig andere dingen te vergelijken. Maar ik was niet de gemiddelde verslaafde. Ik limiteerde mijn gebruik strikt en lette vooral op de effecten van opium op het lichaam. Ik heb in die tijd veel opiumhuizen bezocht en met de mensen daar gepraat terwijl we een ontspannende pijp deelden. Velen van hen zochten inderdaad naar ontsnapping van hun miserabele bestaan. Maar er waren er ook die belangrijke beroepen uitoefenden in het dagelijkse leven en simpelweg zochten naar een tijdelijke manier om de druk te verminderen.

Veel van mijn studiegenoten namen laudanum, wat ruwweg als opiumdruppeltjes beschouwd mag worden. Ze gebruikten het voor menstruatiepijn, hoofdpijn, botpijn en ga zo maar verder. Maar de echte pijn begon pas als ze een keer niet aan hun medicatie raakten. Van dat soort afhankelijkheid had ik een heilige schrik. Ik zou van niets of niemand afhangen voor mijn eigen geluk of gezondheid. De opiumroes was slechts een manier om mijn geest tot rust te laten komen.

Vreemd genoeg vond ik een gelijkaardige rust als ik aan het wandelen was. Het voelde goed om mijn benen vermoeid te voelen worden, om mijn hart wat harder te laten werken. De meeste vrouwen van mijn stand verplaatsen zich met een rijtuig, maar ik verkies wandelen. Het brengt me ook langs de interessantere buurten, waar mensen enkel komen als het nodig is. Ik heb niet de gewoonte om me te laten afschrikken door wat ongure figuren. Integendeel, de adrenaline die het potentiële gevaar met zich meebrengt, geeft een even grote roes als de opiumpijp.

Soms was dat echter niet wat ik nodig had. Op momenten dat de onrust als een levend iets onder mijn huid zat, wou ik alleen maar bezig zijn. Dan wou ik werken, experimenteren, nieuwe mensen ontmoeten en gevaarlijke dingen doen. Dan wou ik niet stilstaan bij de behoeftes van mijn eigen lichaam en stoppen voor triviale dingen zoals eten of slapen. Op zulke momenten keek ik naar cocaïne om me te helpen. Als ik dat had genomen, was mijn concentratie ongeëvenaard en kon ik dagen doorgaan zonder stoppen. Daarna had ik meestal een dag of twee nodig om te recupereren, maar het was het altijd waard.

Er waren ook experimenten waar ik helaas andere mensen voor nodig had. Ik heb nooit gemakkelijk iemand in vertrouwen genomen, dus het heeft lang geduurd voor ik de juiste persoon vond om te betrekken in mijn experimenten. Die persoon verscheen in de vorm van een vrouw genaamd Anna. Voor zij in mijn leven kwam, had ik nog geen idee iemand zoals haar nodig te hebben. Het kan niet ontkend worden dat sommige mensen een talent voor timing hebben en Anna wist altijd overal op het juiste moment te komen. Ze heeft me de wereld laten zien toen ik dacht dat die ophield bij mijn voordeur. Ze heeft me laten genieten van het leven in de tijd dat ik dacht dat dat nooit meer een optie ging zijn. En belangrijker dan dat, ze heeft me nooit veroordeeld, hoewel ik soms eigenaardige verzoeken voor haar had.

Een tijdje geleden las ik over de effecten van zuurstofgebrek op het brein en vroeg ik me af of het niet gebruikt kon worden voor iets prettigers. Uiteindelijk heb ik de techniek op Anna uitgeoefend en geperfectioneerd. Ik zorgde ervoor dat ze volstrekt ontspannen was en begon dan met het gedeeltelijk afknijpen van haar halsslagaders. De machtsroes die voortkwam uit het zien van haar paniek en tegelijkertijd het onvoorwaardelijke vertrouwen was onevenaarbaar. Wat een gevoel om iemand tot op de rand van de sterfelijkheid te brengen. Om een leven letterlijk in handen te hebben. Soms kwam ik in de verleiding om te blijven knijpen. Anna zou het nooit weten. Ze zou zonder het te merken de grens van bewusteloosheid naar hersendood kunnen overschrijden. Een mensenleven is zo kwetsbaar. Het lichaam is in al zijn complexiteit erg gemakkelijk stil te leggen. Maar elke keer slaagde ik er toch in om mijn greep tijdig te lossen en haar zachtjes terug te wekken.

Anna beschreef me dan achteraf de effecten. Ze deed het zo adequaat dat ze me nieuwsgierig maakte naar de ervaring. Zo nieuwsgierig dat ik het uiteindelijk zelf heb ondergaan. Hiervoor vertrouwde ik enkel haar.

Het gevoel kan met weinig vergeleken worden. De eerste keer dat ze het bij me deed voelde ik geen angst, in tegenstelling tot wat ik had verwacht. Ik vertrouwde Anna erin dat ze me niet intentioneel zou laten sterven. Dus toen mijn hoofd ijl begon aan te voelen, onderdrukte ik de overlevingsinstincten van mijn lichaam en concentreerde me geheel op wat ik voelde. Mijn wereld verkleinde tot enkel sensaties overbleven. Herinneringen, zorgen en kennis vielen weg terwijl mijn brein zich enkel nog op het nu concentreerde en probeerde te overleven.

Ik legde mijn leven in de handen van iemand anders terwijl ik wist hoe gemakkelijk het mis kon lopen. Een fout is snel gemaakt en er was een reële kans dat ik niet meer wakker zou worden wanneer ik flauwviel. Die gedachte vervulde me met een ongeëvenaarde opwinding. Het zou allemaal nu gedaan kunnen zijn, dacht ik terwijl ik verder in de bewusteloosheid gleed. Dit zou het einde kunnen zijn. Ik voelde mijn hart sneller kloppen om me eraan te herinneren dat ik nog leefde en mijn borstkas ging op en neer in een wanhopige poging om zuurstof op te nemen. Hoe meer ik me overgaf aan het zuurstofgebrek, hoe harder mijn lichaam vocht om te overleven. En plots was het gedaan. Er stroomde lucht door mijn pijnlijke longen en mijn brein tintelde terwijl het opnieuw zuurstof ontving. Ik leefde en kon enkel dankbaar zijn dat ik opnieuw een dag had gekregen om te bestaan.

Mijn gestolen tijd was nog niet op.

7. De verstoring

De eerste maand van haar opleiding leefden de Studente en ik als het ware in een zeepbel. Ik had met niemand anders contact en behalve een paar korte interacties in het dorp gold hetzelfde voor haar. Die interacties waren kort omdat niemand de komst van de Studente helemaal begreep of aanvaardde. Hoewel niemand mij echt kende, wisten ze dat mijn dienstmeid me respecteerde en dat was voor velen genoeg. De mannelijke studenten die ik vroeger ontving, verlieten mijn domein even zelden als ik – nooit dus – en vormden ook geen probleem voor de preutse dorpsbewoners.

Maar de Studente was een jonge, ongetrouwde vrouw die bij een oudere, eveneens ongetrouwde man was ingetrokken. Ze was in hun ogen een zondig pad ingeslagen, en werd bijgevolg bekeken met achterdocht en soms zelfs vijandigheid. Wanneer ze over deze aanvaringen vertelde, was het niet duidelijk of ze dat zelf erg vond. Ze was even stoïcijns als anders. Stiekem was ik blij dat ze geen vrienden vond in het dorp. Zo bleef ze van mij.

Ik had echter kunnen weten dat onze zeepbel niet lang zou blijven bestaan. De uiteindelijke verstoring kwam, zoals eerder haar komst, in de vorm van een klop op de deur. We waren op dat moment in mijn werkkamer bezig met een nieuw kadaver, dus het duurde even voor we het geluid hadden geïdentificeerd. De Studente maakte oogcontact met me. De blik die ik daar zag herkende ik niet meteen. Voor ik kon reageren, had ze zich al omgedraaid en liep ze naar de voordeur. Tegen de tijd dat ik mijn schort had opgehangen en boven was geraakt, stond ze al geanimeerd in het deurgat te praten met een jongeman. Ze was aan het lachen om iets wat hij zei, terwijl ze een blonde lok rond haar vingers draaide. Een steek van ergernis ging door me heen en ik kon eerst niet achterhalen waarom. Maar dan herkende ik haar gedrag voor wat het was: schaamteloos flirten. De eerste vraag die door mijn hoofd ging was waarom die jongen zomaar deze versie van de Studente te zien kreeg. Die lach behoorde mij toe en niemand anders.

'En wie mag u zijn?' vroeg ik hem toen ik aan de deur was gekomen.

Hij had mijn gepikeerde toon ongetwijfeld opgemerkt, want de zelfzekere glimlach viel van zijn gezicht en zijn ogen werden groot.

'Goedendag, meneer, ik bedoel dokter, mijn excuses voor het onverwachte bezoek.'

Ik opende mijn mond, maar de Studente onderbrak me. 'Dat geeft niet, Charlie. We waren niets interessants aan het doen.'

'Excuseer,' moest ik even tussenkomen, 'als je onze dissecties niet interessant genoeg vindt, moet je hier misschien niet meer zijn.'

Ze rolde met haar ogen.

'Dat bedoelde ik niet. Charlie was net aan het vertellen dat hij hier om dezelfde reden staat.'

'Wel, dat is dan spijtig. Ik heb al een student op dit moment.'

'Oh. Uw studente had gezegd dat ik kon blijven. Maar ik begrijp natuurlijk dat twee studenten te veel is…'

Hij zag er zodanig verslagen uit dat ik me vragend naar de Studente draaide. Die keek me aan met een blik alsof ik haar nieuwe puppy afpakte. Ik was ook niet helemaal zeker waarom het me zo'n slecht idee leek. Onder andere omstandigheden zou het vooruitzicht van twee studenten me helemaal niet tegenstaan. Uiteindelijk zuchtte ik geërgerd.

'Goed dan. Je mag blijven voor nu. Charlie is de naam?'

'Charles, eigenlijk. Maar u mag me noemen hoe u wilt. Bedankt dokter, ik zal u niet teleurstellen.'

'Dat zeggen ze allemaal en ik moet de eerste nog tegenkomen die er werkelijk in slaagt. Kom maar binnen, geen dag om op de drempel te blijven staan.'

Hij keek me dankbaar aan en volgde de Studente mee naar binnen. Iets zei me dat ik snel spijt zou krijgen van mijn beslissing. De Studente daarentegen nam mijn gebruikelijke taak meteen uit handen en begon aan de jongen – ik was zijn naam alweer vergeten – uit te leggen hoe het hier werkte. Hierbij gaf ze in één beweging ook een groot deel van haar kook- en schoonmaaktaken uit handen. De jongen was te zeer onder de indruk om lang stil te staan bij het onmannelijke werk waarmee hij werd opgezadeld. Toen ze hem naar de derde slaapkamer had gebracht die mijn huisje gelukkig rijk was, kwam ze me zoeken in de woonkamer.

'Ik denk dat dit zeer goed gaat werken,' deelde ze me mee met een verdacht brede glimlach.

'Ik zie anders niet in waarom we nog een student nodig hadden.'

'Het is tijd om wat nieuw leven in dit huis te brengen, vindt u niet? Trouwens, het zal leuk zijn om te zien hoe hij zal reageren op mij.'

'Ga je hem even lang laten wachten als mij?'

'Hij mag eeuwig blijven wachten. Die jongen zal zich nooit in mijn bed bevinden. Maar op dit moment denkt hij van wel.'

Met die woorden gaf ze me een knipoog en liep heupwiegend de trap op, ongetwijfeld om opnieuw wat te gaan flirten.

Ik was bijzonder slechtgehumeurd tegen die tijd, het lijk in de kelder al lang vergeten. Waarom vond ze het nodig om de balans die we hadden bereikt te verstoren? Ik ben geen onzeker man, nooit geweest, maar toen voelde ik de twijfels opkomen. Ik was er tot nu toe altijd van uitgegaan dat de Studente hier verbleef dankzij mijn gastvrijheid. Omdat ik het toeliet, met andere woorden. Nu kwam echter plots de mogelijkheid in me op dat ze zelf zou weggaan als ze het hier niet meer interessant vond. Dat ze zo vastbesloten was geweest om de jongen te laten blijven kon het eerste teken zijn dat ze genoeg had van mijn gezelschap.

In het verleden hadden de studenten nooit meer dan een maand in dit huis gespendeerd. Dat was voornamelijk omdat ik zo mijn best deed hun zelfvertrouwen te ondermijnen, dat ze voor die tijd mentaal braken en terug naar huis wilden. De enkelen die het wel waard waren, bleven niet veel langer omdat ik hun tijdig meedeelde wanneer hun tijd op was. Maar bij de Studente was die onzichtbare grens van een maand al een paar dagen gepasseerd en ik voelde niet de behoefte om haar de deur te wijzen. Integendeel, ik was bijzonder gehecht geraakt aan haar aanwezigheid. De komst van de jongen was mijn eerste herinnering aan het feit dat die aanwezigheid niet eeuwig zou duren. Het zou de eerste keer zijn dat ikzelf de afwijzing zou moeten incasseren en niet de student in kwestie.

Nu ik de oorzaak van mijn plotse slechte humeur had achterhaald, was ik vastbesloten om het niet verder aan de Studente te laten zien. Ik ging terug naar mijn werkkamer om de dissectie af te maken zonder haar. Misschien dat ze dan twee keer zou nadenken voor ze mijn werk oninteressant noemde. Ik wist dat het kleinzielig van me was, maar dat kon me weinig schelen.

Ze vond me een tijdje later om te zeggen dat het avondeten op tafel stond. Ik was net aan het afronden. Ik glimlachte, duwde de spons in haar handen en liet haar de rest opruimen terwijl ik de lijkengeur van mijn handen ging spoelen. Eenmaal boven was ik verrast om de jongen achter het fornuis te zien.

'Moet ik verbaasd zijn dat een willekeurig man die hier binnenloopt beter kan koken dan de Studente?'

Hij glimlachte. Mijn toon schrikte hem duidelijk niet meer af en ik vroeg me af wat ze hem al over me had verteld.

'Ik heb onze dienstmeid thuis gevraagd om me wat dingen te leren, omdat ik het gevoel had dat ik tijdens mijn studies wel eens voor mezelf zou moeten zorgen.'

'Hoe vooruitziend. Zijn de restaurants er zodanig op achteruit gegaan in Londen?'

'Mijn familie is welvarend, maar ze hebben niet de fondsen om me naast mijn studiegeld veel te geven en ik wil hen niet in de problemen brengen.'

Dat kon ik respecteren. De enige reden dat ik mijn volledige concentratie aan mijn werk had kunnen wijden, was omdat mijn geliefde vader vroeg genoeg het loodje had gelegd. Zijn fortuin was al een stuk nuttiger geweest dan zijn afkeurende opmerkingen.

'En waarom ben je naar hier gekomen? Was de universiteit wat saai geworden?'

'O nee, zeker niet. Ik doe mijn studies erg graag. Maar enkele professoren hebben me te verstaan gegeven dat ik nog niet de handigheid heb met een scalpel die een goede dokter nodig heeft. Dus hoopte ik die hier te verkrijgen.'

Dat beloofde niet veel goeds. Handigheid met een scalpel was geen aangeleerde techniek, zoals velen denken, maar een talent. Ik kon geen talent toveren waar niets te halen viel.

Een kwartiertje later kwam de Studente ook de trap op,

met een blik die op onweer stond. Met dat duidelijke bewijs dat ik erin was geslaagd om mijn slechte humeur te verspreiden, voelde ik me alweer wat beter.

'Alles weer schoon?' vroeg ik met een fijn glimlachje.

'Ik heb de boodschap begrepen, maakt u zich daar maar geen zorgen over.'

De glimlach die ze me schonk was zorgwekkend, moest ik bekennen. Haar blik zei me dat ik nog zou betalen. Maar dat was niet voor nu.

'Wel, ga dan maar zitten. Ik hoop dat je honger hebt. Het is lang geleden dat we hier nog eens een echte maaltijd hebben gegeten.'

Haar ogen vernauwden zich verder, maar ze ging zitten. De jongen begon meteen met opdienen. Hij leek vastbesloten te zijn om zich te bewijzen met zijn kookkunsten. Ik vroeg me af of hij doorhad dat we beiden geen moer gaven om zijn eten.

De maaltijd verliep in stilte, zoals we dat gewoon waren. De jongen leek dat echter niet te kunnen accepteren en ik voelde zijn nerveuze blik geregeld over ons beiden glijden. De paar pogingen tot conversatie die hij ondernam werden met een kort antwoord afgeblokt.

Toen mijn bord leeg was, legde ik mijn bestek neer en kondigde aan dat ze een uur tijd hadden om vragen te stellen. De Studente hield natuurlijk koppig haar mond, maar de jongen leek meteen op te fleuren.

'Nogmaals bedankt voor deze geweldige kans, Dokter. Ik vroeg me alleen af waarom u niet meer lesgeeft in Londen. U wordt gemist.'

Ik kon een zucht niet onderdrukken. Ze kwamen altijd met dezelfde vraag.

'Die reden is mijn zaak en van niemand anders. Voor zover

het jullie aangaat ben ik verhuisd omdat ik van de stilte hou.'

Hij leek het te begrijpen en hield de rest van zijn vragen strikt wetenschappelijk. Enkele waren zelfs nuttig en ik was altijd blij mijn Londense ex-collega's te kunnen verbeteren. Toen we uiteindelijk allemaal naar bed gingen had ik het gevoel dat ik al beter wist wat voor vlees ik in de kuip had. De volgende dissectie zou dat verder uitwijzen.

De volgende dagen liep de Studente rond alsof ze iets heel belangrijks wist en het met niemand wou delen. Die wetende glimlach irriteerde me mateloos. De jongen raakte er alleen verder van in de ban, hoewel ik de eerste tekenen van frustratie al kon bespeuren. Ze had bovendien de rol van entertainer helemaal op zich genomen. Elke avond zorgde ze ervoor dat we in elkaars gezelschap bleven, ook al wilde zowel de jongen als ik liever alleen zijn met de Studente.

Door de tijd die ik geforceerd werd in zijn gezelschap door te brengen, begon hij al snel op mijn zenuwen te werken. Hoewel het duidelijk was dat hij qua intelligentie op hetzelfde niveau als de Studente zat, ging dat niet op voor praktische vaardigheden. Ik had kort na het vorige een nieuw lijk besteld omdat ik zijn ervaring wou testen en dat bleek geen overbodige luxe te zijn.

Hij moest in zijn opleiding zeker al dissecties hebben meegedaan, maar daar zag ik geen bewijs van toen hij me assisteerde. Om te beginnen wist hij maar twee derde van de anatomische structuren op te noemen die ik bevroeg. Bovendien begon hij te snijden zonder een zorgvuldige inspectie te doen. En als kers op de taart had hij al drie belangrijke structuren doorgesneden voor ik de scalpel uit zijn handen kon trekken.

'Wat voor een idioot ben jij? Kijk misschien eens uit voor

je ergens je mes in zet! Hoeveel lijken heb je al geruïneerd op die manier?'

De jongen werd heel klein bij mijn harde woorden, maar ik was te kwaad om het me aan te trekken. Dit was geen onhandigheid meer, dit was heiligschennis. Waarom hij nog in een medische studie zat, was een mysterie voor me.

Ik stond op het punt om hem gewoon naar huis te sturen, toen de Studente ertussen kwam. Ze duwde me zachtjes uit de weg en nam het scalpel van me over. Voor ik kon protesteren begon ze op zachte toon tegen de jongen te praten.

'Dat geeft niet Charlie, we zijn hier om te leren. Maar de Dokter heeft gelijk. Op deze manier ga je niets halen uit je dissectie. Laten we even bij het begin starten. Wat doe je voor je begint te snijden?'

Hij keek haar schaapachtig aan, duidelijk totaal verloren. Ze zuchtte zachtjes en ging verder met haar uitleg.

'Allereerst inspecteren we het lijk. Voor we het canvas vernietigen, moeten we zoeken naar de aanwijzingen die aan de oppervlakte liggen. We zoeken op de huid naar wondjes en blauwe plekken. We bekijken de lichaamsholtes. We bestuderen het gewicht van het lichaam, de kleur van de huid, de eeltverdeling op de handen en voeten. Kan je dat doen voor me?'

De jongen knikte dankbaar en begon een voor een de dingen te doen die de Studente had opgesomd. Ik bleef verbaasd toekijken terwijl ze hem geduldig aanleerde wat zij instinctief in mijn lessen had opgepikt. De paar keer dat ik probeerde te onderbreken kreeg ik een vernietigende blik toegeworpen en dus hield ik verder mijn mond. Een aantal uren later moest ik toegeven dat de dissectie niet zo rampzalig was als ik eerst gevreesd had. De Studente en ik bleven rustig toekijken terwijl de jongen zonder morren alles opruimde en schoonmaakte.

Vervolgens mompelde hij een verontschuldiging tegen mij en verliet de kamer. De Studente vestigde eindelijk haar aandacht weer op mij, met een zelfvoldane glimlach en haar armen gekruist voor zich.

'Is er iets dat je wilt zeggen?' vroeg ik haar gepikeerd.

'Graag gedaan?'

'Ik zou niet weten waarom. Als het aan mij lag, was de jongen gewoon weggestuurd.'

'Omdat u het in uw hoofd hebt gehaald dat dit beroep enkel gebaseerd is op talent. Slimme mensen kunnen ook dingen aangeleerd krijgen, hoor.'

'Ze zullen toch nooit even goed worden als diegenen met talent.'

'Heel waar. Maar ze zullen beter worden dan mensen met talent die het niet gebruiken.'

'Is dat waarom je plots leerkracht wou spelen?'

'Ik wou u laten zien dat niet iedereen zonder talent waardeloos is. En misschien ook gewoon dat ik een betere leerkracht ben dan u.'

'Dat is een bijzonder arrogante uitspraak voor een pas afgestudeerde arts die geen werk vindt.'

'Ik zei niet dat ik een betere dokter ben, enkel dat ik dingen beter kan uitleggen. Denkt u dat uw zelfvertrouwen dat aankan?'

'Ik laat het je weten,' mompelde ik en liep mijn werkkamer uit. Tijd om wat te mokken.

Zoals gewoonlijk was de Studente erin geslaagd om me een les te leren. Al vond ik het niet zo nuttig of zelfs welkom om op mijn leeftijd nog veel lessen te leren. In elk geval hield ik me op de achtergrond terwijl de jongen bij ons verbleef. Hij kwam nog altijd naar mij voor zijn theoretische vragen, maar leek te bang te zijn om nog een dissectie te doen onder mijn toeziend oog. Dat kwam goed van pas, want ik had geen geduld voor zijn gestuntel.

Hij en de Studente bleven rond elkaar draaien, al werd het hem uiteindelijk wel duidelijk dat hij geen kans maakte. Ik had verwacht dat hij kwaad zou worden, maar hij werd er enkel stiller van. Het was moeilijk voor te stellen dat deze jongen binnenkort patiënten zou ontvangen en proberen te behandelen. Hij leek amper in staat te zijn om een vraag te stellen als dat nodig was. Maar met de meestal zachte hand van de Studente en mij zag ik hem toch vooruitgaan.

Na een tiental dagen besloot de Studente echter dat hij niets meer van ons zou leren en zette hem zonder pardon aan de deur. Dat kon geen verrassing voor hem zijn, maar hij zag er toch vreselijk verslagen uit. Het enige wat ik kon doen was hem een schouderklopje geven en succes wensen. Al mocht ik hem niet zo, hij verdiende die volledige afwijzing niet. Het was de eerste keer dat ik kon aanschouwen waartoe de Studente met mannen in staat was.

Ze speelde de rol die mensen van haar verwachtten, won hun hart en leek oprecht met hen begaan. Als ze echter hun rol hadden vervuld, liet ze hen vallen als een baksteen. En het leek haar niets te doen. Zodra iemand geen functie meer had, zag ze niet in waarom ze hem nog in de buurt moest houden. Zou dat ook mijn lot zijn? Ik had er slechts het raden naar. Nogmaals werd ik eraan herinnerd dat het gevaarlijk was om me te hechten aan dit mooie wezen. En nogmaals besefte ik dat het daar al veel te laat voor was.

8. Geheimen

De gewoonlijke methodes van het klinisch onderzoek van het hart
– inspectie, palpatie, percussie en auscultatie – geven waardevolle
informatie in bepaalde gevallen. Normaal gezien wordt het meeste
belang gehecht aan auscultatie – luisteren naar het hartritme – en
percussie – luisteren naar de onderliggende dofheid door kloppen –
en minder aan inspectie en palpatie. Naar mijn mening zijn echter
de twee laatste, hoewel ze vaak niet gebruikt worden in een rou-
tineus onderzoek, vaak de belangrijkste op gebied van prognose en
diagnose. Het minst betrouwbaar en waardevol van alle methodes
is percussie.
   - Clinical Cardiology [7]

De menselijke aard is een onuitputtelijke bron van fascinatie
voor me. We groeien op met het idee dat iedereen hetzelfde
is. Pas later beginnen we de verschillen te zien. Hoe niet iedereen hetzelfde reageert op een situatie en niet iedereen dezelfde mening deelt. Maar er zijn een aantal waarheden waar
we wel op kunnen rekenen: mensen zijn van nature egoïstisch
en iedereen heeft geheimen. Dit zijn niet de meest optimistische veralgemeningen, maar ik heb dan ook geen bijzonder
optimistische aard. Wat niet betekent dat ik een positieve in-
stelling in anderen niet kan waarderen. Het blijft me verwon-
deren dat er mensen bestaan die, hoe vaak het leven hen ook
tegen de grond gooit, blijven rechtstaan en blijven geloven in
dezelfde dingen.
   De uitspraak dat de mens essentieel egoïstisch is, heeft me

al veel vurige discussies opgeleverd. Zoals Charles Darwin dat veel beter kan uitleggen, zijn wij als soort geëvolueerd om de beste overlevingskansen te hebben. We overleven het best in groepen, dus hebben we ook het inlevingsvermogen en de zorg ontwikkeld die nodig zijn om in groep te leven. Dat betekent echter niet dat we niet worden gedreven door egoïstische motieven wanneer we aanbieden om iemand te helpen. Iemand die een leven redt doet dat omdat hij zichzelf graag als held ziet, of omdat schuldgevoel hem anders zou overmannen. Als hij er geen hevige emoties bij had, zou hij er niet de moeite voor nemen. Ik voel de Dokter op dit moment met zijn ogen rollen, want hij is het niet eens met deze theorie. Volgens hem is onze capaciteit om iemand anders voorop te zetten juist een van de dingen die ons onderscheidt van dieren. Het plezier dat we scheppen in het pijnigen van onze soortgenoten is nog iets dat ons onderscheidt van dieren, is mijn antwoord daarop.

Ook het hebben van geheimen is iets waar volgens mij niemand aan kan ontsnappen. We hebben zulke strikte regels in deze samenleving dat iedereen op een gegeven moment wel de nood voelt om iets voor zichzelf te houden. Of dat geheim groot of klein is, hangt van de persoon af. Geheimen veranderen ook. Wat levensbelangrijk leek als kind, is dat vaak niet meer als volwassene. Maar we dragen allemaal de last mee van de dingen die we niet durven uit te spreken.

Met die waarheid werd ik vandaag geconfronteerd. We mogen nog zo hard ons best doen om onze geheimen onuitgesproken te laten, er zijn mensen wiens enige taak het is om ze toch op te graven. Het beroep van privédetective is in opkomst tegenwoordig. Vaak gaat het om ex-politieagenten, maar er zijn ook amateurs die zich ermee bezighouden. Blijkbaar is er veel vraag naar het bewijzen van ontucht of diefstallen waar de politie niet aan te pas wilt of kan komen. En blijkbaar breidt zich dat ook uit naar het terugbrengen van verloren dochters.

Charlie was nog maar enkele dagen weg. Het was weer even wennen aan het stille leven dat hij achterliet. Ik merkte dat de Dokter opgelucht was dat de jongen was vertrokken. Het had me geamuseerd hoe sterk hij reageerde op de mannelijke concurrentie. Mannen zijn voorspelbare wezens, wat het leuk maakt om hen te bespelen. Maar terwijl de Dokter me na meer dan een maand nog niet verveelde, had Charlie niet de meest sprankelende persoonlijkheid. Dus toen ik mijn punt had kunnen maken en hem had omgetoverd tot een matig capabel anatomist, mocht hij gaan. Onze tijd zat erop.

Lang kon ik echter niet genieten van de aandacht van de Dokter voor een nieuwe stoorzender arriveerde. Eentje die een stuk minder welkom was.

De man die aan de voordeur stond was klein en geblokt. Hij had een fysiek die een sedentair leven verraadde en zijn ademhaling was gejaagd. De Dokter had de deur geopend en ik besloot me wat afzijdig te houden voor ik me in het gesprek mengde.

'Goedemorgen, dokter. Mag ik u een paar vragen stellen?'

'Dat hangt ervan af. Wie bent u?'

'Mijn naam is William Burgess. Woont u hier alleen?'

'Inderdaad. Staat u voor een specifieke reden aan mijn deur?'

De man negeerde de vraag.

'Dat is eigenaardig. Volgens mijn informatie zit hier ook een jongedame.'

'Op dit moment heb ik een studente in dienst, dat klopt. Ik zou nu toch graag weten waarom u hier bent.'

'Mijn excuses. Ik ben een privédetective en ik ben van Londen gekomen op zoek naar een jonge vrouw.'

'En wat heeft die vrouw met mij te maken?'

'Mijn vermoeden is dat het om de studente gaat die u juist vermelde. Ik wil haar graag spreken.'

'U wilt nogal veel, naar mijn mening.'

Ik hoorde het gesprek met ingehouden adem aan. De stem van de Dokter had een koude rand die geen twijfel liet over zijn autoriteit. De man was echter niet onder de indruk.

'Het enige wat ik vraag is om met de jongedame in kwestie te kunnen spreken. Ik ben er zeker van dat we alles kunnen ophelderen.'

'Bent u van plan om haar mee te nemen?'

'Ik ben enkel van plan om met haar te praten. Als u haar niet tegen haar wil vasthoudt, kan u daar geen bezwaar tegen hebben, toch?'

De Dokter rolde met zijn ogen en draaide zich om. Hij zag me staan en keek me vragend aan. Ik haalde mijn schouders op. De man kon uiteindelijk niet veel doen hier.

'Ik denk niet dat hij uit zichzelf zal weggaan,' zei ik.

'Dan kunnen we hem net zo goed een tas thee geven.'

Hij gebaarde de man binnen te komen en wees hem naar de zitkamer. Om de confrontatie nog even uit te stellen, hield ik me in de keuken bezig met de thee. Ik hoorde hun stemmen, maar kon geen woorden onderscheiden. Wat was hij over mij aan het vertellen?

Even later ging ik bij hen zitten. Ik zag hoe de man me bestudeerde en vervolgens een blik wierp op een verkreukelde foto in zijn hand. Hij leek tevreden en stopte de foto terug weg.

'Goedemorgen, juffrouw. Fijn om u eindelijk te ontmoeten. Ik heb al veel over u gehoord.'

'Alleen goede dingen, hoop ik.'

Ik schonk hem een onoprechte glimlach.

'Uiteraard. Bedankt voor de thee.'

Hij wachtte op mijn antwoord, maar ik zweeg. Geen reden om het hem gemakkelijk te maken. We bleven elkaar koppig aanstaren, tot hij uiteindelijk de stilte verbrak met een fijn glimlachje.

'Uw vader is bezorgd om uw welzijn. Hij zou u graag terug in het ouderlijk huis zien, nu uw studies zijn afgerond.'

'Mijn studies zijn nog bezig, meneer Burgess. Waarom zou ik anders hier zijn?'

'Vergeef me, maar ik zie niet in wat een pas afgestudeerde dokteres als uzelf kan doen in het huis van een befaamd anatomist.'

Hij knikte in de richting van de Dokter als teken van respect.

'Ik help hem met zijn werk. Ik voer mee dissecties uit en verzamel nota's voor zijn nieuwe boek. In ruil daarvoor leert hij me de fijnere punten van de anatomie.'

Ik miste bijna de paniekerige blik die de Dokter me toewierp bij die woorden. Ze hadden echter de interesse van meneer Burgess gewekt.

'Dissecties zegt u? Kan u in dit afgelegen huis nog lichamen van de universiteit ontvangen? Ik had het idee dat u geen contacten meer had in Londen.'

De Dokter gaf hem een geforceerde glimlach. 'U weet hoe dat gaat, voor de besten willen ze graag wat meer moeite doen.'

'Uiteraard. En u bent zonder twijfel een van de besten.'

De glimlach die meneer Burgess teruggaf zei dat hij er geen woord van geloofde.

'Waarom hebt u deze dame aangenomen, als ik dat mag vragen?' ging hij verder.

'Omdat ze beter is dan alle mannelijke studenten die al door mijn deur zijn gekomen.'

De man bestudeerde ons beiden even. Hij deed me denken aan een aasgier, zoekend naar een prooi die net wel of net niet dood was alvorens toe te slaan.

'Dat zal uw vader graag horen, juffrouw. Hij wilt natuurlijk dat u slaagt in uw gekozen carrière, hoe ongewoon die ook is voor een vrouw van uw stand. Voor ik u met rust laat, zou ik nog graag een brief willen afleveren die uw vader me gaf voor het geval u niet vrijwillig naar huis wou komen.'

Hij haalde een dunne envelop uit zijn binnenzak en gaf hem aan mij. Ik nam de envelop aan met een groeiend gevoel van onheil, maar mijn handen waren rustig en zeker terwijl ik er een vel papier uithaalde. Er stond een enkele zin neergepend.

Je weet wat de gevolgen van ongehoorzaamheid zijn.

De woorden raakten me harder dan ik had gedacht, maar mijn houding verraadde niets. Ik had al lang geleden geleerd om mijn emoties los te koppelen van mijn lichaam. Ik voelde de bezorgde blik van de Dokter en de afwachtende blik van meneer Burgess op me branden. Nu was niet het moment om te breken. Nooit meer, had ik mezelf beloofd. En op die belofte zou ik niet terugkomen.

'U mag mijn stiefvader bedanken voor zijn brief, maar ik blijf hier.'

'Misschien moet u ook eens denken aan het leven dat u in Londen achterlaat. Wat zal Anna bijvoorbeeld vinden van uw afwezigheid?'

Mijn benauwdheid werd prompt vervangen door woede.

'Wat weet u over Anna?'

'Genoeg. U hebt haar niet eens verteld dat u wegging. Ze

was wanhopig voor nieuws omtrent uw locatie. Uw beste vriendin, en u gaat weg zonder zelfs maar een brief achter te laten?'

'U hebt het recht niet met Anna te spreken. Laat haar met rust.'

'Maar ik heb zo genoten van onze gesprekken. Haar man lijkt me maar een nietsnut. Misschien ben ik wel de geknipte persoon om haar wat aandacht te geven.'

Hij grijnsde naar me en alle schijn van professionaliteit verdween samen met die grijns. De man had beseft dat ik niet met hem zou meegaan, dus begon hij het smerig te spelen. Ik glimlachte hem ijzig toe.

'Probeert u dat maar en zie wat er gebeurt.'

Hij bleef grijnzen.

'Ik denk dat dit lang genoeg heeft geduurd,' onderbrak de Dokter onze staarwedstrijd. 'Ik zou graag hebben dat u mijn huis verlaat, meneer Burgess.'

'Mijn punt is gemaakt, denk ik. Nogmaals bedankt voor de thee. Ik zal u zeker vermelden als ik Anna nog eens een bezoekje breng.'

'Genoeg. Buiten, meneer.'

De Dokter verloor eindelijk zijn geduld en trok de man aan zijn bovenarm mee naar de voordeur. Toen de Dokter terug binnenkwam, vroeg ik hem om geen vragen te stellen. Ooit zou hij misschien antwoorden van me krijgen, maar niet vandaag. Verrassend genoeg accepteerde hij dat meteen en schonk me een verse kop thee in.

'En, wat ben je aan het lezen deze week?'

De onhandige verandering van onderwerp deed me lachen. Ik besloot erop in te gaan.

'*Great Expectations* van Charles Dickens.'

'Ik heb altijd meer een voorkeur gehad voor William Thackeray. Minder geneigd om het volk te plezieren.'

'Dat komt omdat u een snob bent.' Hierop moest hij grinniken. 'Wist u dat ik hem ontmoet heb, Dickens?' vroeg ik vervolgens.

'Nee, dat wist ik niet. Wat vond je van hem?'

'Ik was nog jong. Voor mij was hij die rare man met de grote baard. Toen mijn vader nog leefde kwam hij af en toe bij ons eten. Hij was altijd heel lief voor me. Hij is degene die me heeft aangemoedigd om verder te studeren.'

'Als kind al?'

'Ik vond altijd dat mijn leeftijdgenootjes zo traag waren. Als het aan mij lag, ging ik toen al studeren.'

Het was even comfortabel stil voor hij weer sprak.

'Wie is Anna?'

'U moet echt eens werken aan uw gespreksovergangen.'

Hij rolde met zijn ogen en bleef me afwachtend aankijken.

'Mijn beste vriendin,' zei ik uiteindelijk.

'Die je niet eens hebt laten weten dat je wegging?'

'Ik ben geen voorstander van onnodig afscheid.'

Dat was duidelijk niet genoeg voor hem en ik moest lachen om zijn haast geconstipeerde gezichtsuitdrukking.

'Jullie mannen en jullie behoefte om overal het fijne van te weten.'

'Studente, dat is niet mannelijk. Dat is de wetenschapper in ons. Wij zijn allemaal op zoek naar het ontbrekende stuk informatie. En iets zegt me dat jij nog veel stukjes in je hand hebt.'

'Vandaag zult u die dan toch niet te zien krijgen. Ik kan trouwens hetzelfde zeggen over u. Wat was die blik die u me toewierp toen ik over onze dissecties begon?'

'Het is nooit verstandig om je mond voorbij te praten tegen iemand die op goede voet staat met de politie. Technisch gezien doe ik niets verkeerd. Maar een buitenstaander zou dat wel eens anders kunnen zien.'

Hij had me ook niet het hele verhaal verteld, al ben ik zeker dat het iets te maken heeft met zijn verdwijning twintig jaar eerder. Maar net zoals ik had besloten om mijn geheimen nog niet aan het licht bloot te stellen, zou ook hij het juiste moment nog even afwachten.

Sommige geheimen kunnen een leven verwoesten als ze bekend zouden raken. Andere geheimen hebben juist de grootste destructieve kracht wanneer ze verborgen blijven. Ze kunnen een persoon langzaam verteren. De mens heeft de natuurlijke neiging om te bekennen. We denken in onze naïviteit dat een stuk van de verantwoordelijkheid, van het schuldgevoel, zal verdwijnen als we het geheim met iemand delen. Maar dat is slechts een illusie. De slechte dingen die we hebben gedaan of de slechte dingen die ons overkomen blijven aan ons hangen als een schaduw. We kunnen enkel proberen om ons erboven te zetten en te blijven leven. Maar vroeg of laat is er weer een stukje van het verleden dat ons inhaalt.

Schuldgevoel en paranoia kunnen een mens vernietigen. Misschien zal het me goeddoen om mijn geheimen uit te spreken. Misschien zal het enkel ongeluk brengen. We kunnen alleen maar zien wat de toekomst brengt.

9. De schoonheid

Iets zei me dat de Studente wist waarover ze sprak als ze schreef dat geheimen een mens kunnen vernietigen. Maar toen ik haar leeftijd had, vond ik vooral dat een geheim iemand mysterieuzer maakte. De aard van het geheim was niet belangrijk. Enkel dat de persoon in kwestie het goed kon uitspelen. Ik merkte dat de mensen die niet meteen alles vertelden over zichzelf, het meeste respect en autoriteit genoten. Dat was dan ook de eerste handigheid die ik mezelf aanleerde. Hoe ik me die aura van mysterie kon aanmeten zonder werkelijk geheimen te hebben. Zowel ik als mijn studiegenoten probeerden allemaal dezelfde maturiteit te projecteren, ook al bezaten we die niet. We vonden onszelf zo verstandig en superieur wanneer we in een museum een kunststijl identificeerden of in klinische benamingen uitdrukten wat een werk bij ons losmaakte. Iedereen had een andere opinie en ieder van ons vond zijn eigen mening het belangrijkst.

Als jongeman, met een hart gezwollen van emotie en eigenzinnigheid, zocht ik voortdurend naar de waarheid, de betekenis van het leven, de schoonheid, alles wat ik belangrijk achtte. Ik bezocht musea en tentoonstellingen om bij gelijkgezinden mijn intellectuele inzichten in het rond te strooien.

Ik zag schoonheid in veel dingen. Ik zag het in een paar vlekken op een canvas dat ik gedurfd en elegant noemde. Ik zag het in een onverwacht zachte Londense herfstdag of in de sneeuw in mijn voortuin. Het sterkst zag ik schoonheid in mooie vrouwen die nietsvermoedend langs me liepen op straat, onbereikbaar en juist daarom zo aantrekkelijk. Maar pas veel later, neerkijkend in het decolleté van mijn toenmalige geliefde, stond me plots voor ogen dat er werkelijk niets mooier kon zijn dan dat. Dat veelbelovende, perfecte begin van een borst, die ons recht in de ogen kijkt terwijl we zo ons best doen om onze gretige geest op iets anders te concentreren.

Schoonheid is intens tevreden zijn en chronisch onvoldaan blijven. Het is tegenstrijdige emoties en hartzeer. Het kan enkel bestaan als iemand toekijkt, maar verdwijnt als het wordt aangeraakt. Het is de reden dat we hier zijn, want wie wilt er leven in een wereld zonder schoonheid?

Met de vrouw in wiens borsten ik de schoonheid ontdekte, had ik mijn eerste vaste relatie en bijgevolg ook de meest desastreuze. Het was diezelfde avond dat ik mezelf erop betrapte verliefd te worden. Terwijl ik naar die opening tussen Catherines borsten staarde en filosofeerde over wat dat betekende voor mij, besefte ik hoezeer die lustgevoelens op genegenheid begonnen te lijken.

Catherine had een invloed op me zoals enkel prachtige vrouwen dat kunnen hebben. Bij haar leken mijn intellectuele vermogens beneveld en ik vond het altijd moeilijk om haar iets te weigeren. Ik weet niet waarom we ons laten leiden door iets dat zo subjectief is, maar het blijft een feit dat mannen net een beetje dommer en een beetje luidruchtiger worden in het bijzijn van een knappe vrouw. En Catherine was zonder twijfel een knappe vrouw. Je werd het niet beu om naar haar te kijken. Elke dag vond ik een nieuwe verklaring voor de aantrekkingskracht die ze op me uitoefende. Ze hield de aandacht van iedereen in de kamer in haar hand. Als ze bewoog, werden je ogen naar haar toegetrokken. De eerste keer dat ze naast mij zat tijdens een etentje, wist ik dat ik haar moest hebben. Mijn natuurlijke instinct was het bezitten van zulke schoonheid.

Dat was voor mij het begin van de liefde. Het was de eerste keer dat ik de kracht van deze beangstigende emotie ondervond en ik gaf zonder nadenken mijn hart aan haar. Zij nam het aan en liefkoosde het in mijn aanwezigheid, maar haar hart heeft nooit op dezelfde manier aan mij toebehoord.

Het feit dat een vrouw me kon afleiden van mijn werk was een klein mirakel op zich. Wat hielp was haar interesse in de geneeskunde. Ze heeft me vaak vergezeld naar lessen en dissecties. Maar ze bezocht niet alleen voor mij de universiteit. Zoals ik later tot mijn spijt moest ontdekken, was ze niet het soort vrouw dat genoegen kon nemen met slechts één aanbidder.

Ik heb lang met het idee van vergelding gespeeld. Om haar te beschuldigen van onzedigheid en haar reputatie te vernietigen. Het had me waarschijnlijk veel genoegen gegeven, maar ik was te zelfzuchtig om ermee door te gaan. Zo'n aanstellerige wraakpoging heeft meestal een slechter effect op de schutter dan op het doelwit. En mijn positie was alles voor me. Na alle misdragingen waaraan ik me schuldig had gemaakt tijdens mijn wilde jaren, vreesde ik nog altijd de mening van het grote publiek.

Een doktershart is een fragiel iets. We hebben de neiging tot grootheidswaanzin en zelfkleinering. Een goede dissectie of behandeling laat ons geloven dat de zon uit ons achterwerk schijnt en een slechte maakt van ons een totale mislukkeling. Elke keer dat we een patiënt behandelen, stellen we ons op om te falen. Geneeskunde is geen exacte wetenschap en zal ons nooit een eenduidig antwoord geven. Mensen sterven elke dag, soms door ons toedoen. Dat is iets waar ieder van ons mee moet leren leven, maar niet iedereen slaagt daarin. Degenen die dat wel kunnen, verliezen vaak hun menselijkheid onderweg.

Ik heb vele hoogtes en laagtes gekend in mijn carrière en die staan allemaal in mijn geheugen geëtst. Ik kon van arrogantie overgaan in depressie door een enkele opmerking. Ik vond mezelf het succes dat ik kreeg niet waardig, maar ik wou altijd meer. Meer affaires, meer publiciteit, meer dissecties, meer bekendheid.

Een voldaan man is hij die weet wat hij wil, maar enkel neemt wat hij nodig heeft.

Ik laat me weer te veel meeslepen door het verleden. Er zijn veel dingen gebeurd en de meeste daarvan waren niet mooi, maar het heeft geen zin om alles weer op te rakelen. Een van de neveneffecten van eenzaamheid is dat een man te veel tijd heeft om na te denken en dat is iets zeer gevaarlijks. Dan gaan gedachten hun eigen leven leiden. Waar het mijn historie betreft, geef ik me liever over aan de capabele handen van de Studente. Zij zal mijn woorden later neerpennen. Voor een gebrekkig man als mijzelf is het moeilijker dan het lijkt om zulke dingen treffend neer te schrijven. Als er iets is dat een mens niet kan, dan is het een waarheidsgetrouwe weergave schrijven van zijn eigen geschiedenis.

Hoe mijn relatie ook is geëindigd met Catherine, ik heb haar ook veel te danken. Na de publicatie van mijn boek had ik de tijd genomen om te genieten van mijn prestaties – en opnieuw te proeven van het Londense sociale leven, zowel de mooie als de minder mooie kant. Dat heeft voor momenten gezorgd waar ik niet trots op ben. Het is zo gemakkelijk om jezelf te verliezen in zonde en het vervolgens te rationaliseren.

In die zin heeft Catherine een goede invloed op me gehad. Ze was de eerste vrouw voor wie ik een beter man wou zijn. Om het simpel uit te drukken was ik gewoon een verliefde idioot.

Iedereen die al verliefd is geweest of denkt dat hij dat was, weet waar ik het over heb. De spreekwoordelijke vlinders, de constante drang om haar te zien en de plotse opstoot van lust bij elke beweging die ze maakte. Ik voldeed aan alle wansmakelijke clichés.

We hebben ons met onstuimigheid en passie op elkaar gestort. Beiden waren we de gemiddelde trouwleeftijd al een aantal jaren voorbij en beiden trokken we ons niet veel aan van de traditionele formaliteiten van relaties. Het was moeilijk om genoeg te krijgen van haar in dat prille begin. Samen gingen we op zoek naar nieuwe definities van intimiteit, nieuwe manieren om elkaar te bezitten. Ze kon erg creatief zijn als het haar uitkwam.

Ik zag veel van haar terug in de Studente, hoewel ze in essentie heel andere personen zijn. Eigenlijk is het onmogelijk om mensen met elkaar te vergelijken. Als ik zeg dat de Studente op dezelfde manier haar wenkbrauwen kon optrekken als ze van haar gelijk overtuigd was, dan klinkt dat als een futiel detail. Voor mij gaat het echter niet over de wenkbrauwen, maar over hun gedeelde koppigheid, hun overtuiging dat ze superieur waren aan de gemiddelde vrouw zonder dat ze daardoor daadwerkelijk arrogant overkwamen.

In de Studente vond ik ook schoonheid terug. Anders dan Catherine had ze echter niet het soort tijdloze schoonheid dat elegantie automatisch met zich meebrengt. Ze was nog te jong om dat soort houding volwaardig aan te nemen. Wat de Studente wel had was haar onbevangenheid. Hoewel ze streefde naar een weloverwogen en berekende uitstraling, kon ze niet vermijden dat haar spontaniteit regelmatig naar buiten kwam. De lach waar ik soms hard voor moest werken, was uitbundig en onbezorgd, eentje die haar er plots veel jonger deed uitzien. Dat geluid zou ik van Catherine nooit gehoord hebben.

Vanaf het eerste moment dat ik de Studentes lach hoorde, had ik het gevoel dat ik haar kende. Alsof ze me op dezelfde manier al tientallen keren had toegelachen. Alsof ze slechts een paar jaar was weggeweest en nu haar voorbestemde plaats opnieuw innam. Hoe vreemd ze ook kon zijn, ze is nooit een vreemde voor me geweest.

Iedereen zal zichzelf wel herkennen in dit gevoel, in die momenten die niet nieuw lijken te zijn. Momenten waar je van overtuigd bent dat ze al honderden keren geleefd zijn door andere mensen in andere tijden. Geen enkele ontmoeting is uniek en geen enkele liefde is superieur. We maken allemaal deel uit van het collectieve geheugen. Misschien is dat wel de tragedie van het leven. Dat we geen van allen iets voor de eerste keer kunnen meemaken. Alle eerste keren zijn beperkt tot onze eigen gelimiteerde leefwereld.

Als we aanvaarden dat niets meer nieuw is, kunnen we kiezen hoe we hiermee omgaan. Sommigen zullen gerustgesteld zijn in de wetenschap dat ze niet alleen zijn in hun dagelijkse drama's. Anderen – zoals ikzelf – zouden zich kunnen afvragen wat het nut van het leven dan wel is. Dit was de vraag die me als twintiger bezighield. Tot het antwoord me plots zo klaar als de dag voor de geest stond: ons leven heeft geen nut. In het grote geheel betekent een mensenleven niets. Maar we geven wel zelf een nut aan ons leven en dat is het enige waaraan we ons kunnen vasthouden. Want iemand die niets te verliezen heeft, wordt gevaarlijk.

Toen ik jong was, had ik veel te verliezen. Ik had mijn leven zorgvuldig opgebouwd. Aan de grondslag van mijn bestaan zaten zekerheden. Op een bepaald moment zijn die zekerheden weggevallen en daarmee ook mijn leven zoals ik het kende. Het is voorspelbaarder en gemakkelijker geworden, maar soms vraag ik me af wat ik op dit punt nog werkelijk te verliezen heb. Dat doet een mens nadenken.

De Studente zag schoonheid in andere dingen dan ik. Ze had een voorliefde voor het macabere. Waar ik een wansmakelijk tafereel zag, leek zij een interessante leermogelijkheid te zien. Maar het ging verder dan dat. Ze vroeg me eens naar mijn favoriete kunstenaar en ik gaf toe dat het Jacques-Louis David was. Ik kreeg een neerbuigende snuif als antwoord.

'David? Is dat echt het antwoord waar u bij blijft? Niet de meest inspirerende schilderijen.'

'Integendeel, ik vind ze bijzonder inspirerend.'

'Wel, ik vind ze saai. Geef mij maar de oude anatomische tekeningen. Dat is pas kunst. Volgens mij was het trouwens een leerling van David die later anatomische atlassen ging illustreren. Die jongen had het beter bekeken.'

'Ik zie wel in waarom een dokter kunst ziet in anatomische tekeningen, maar is dat nu werkelijk het enige dat je aanspreekt?'

'Het menselijk lichaam is prachtig. Hoe we zijn geëvolueerd naar het gecompliceerde wezen dat we nu zijn is toch ongelooflijk? Iedereen kijkt altijd maar naar oppervlakkige schoonheid, maar voor mij zit die aan de binnenkant. Letterlijk.'

'Dus jij steunt de theorieën van Darwin?'

'Die theorieën hebben ondertussen al veel bewijsmateriaal verzameld. Iedereen met een brein kan zien dat zijn onderzoek waarde heeft.'

Ik besloot om niet met haar in discussie te gaan. Tenslotte had ik niets meer gelezen dat na 1861 was gepubliceerd en kon ze best gelijk hebben. Ik ga in de regel geen discussies aan als ik er niet van overtuigd ben dat ik kan winnen.

'Wat vind je van William Blake?' vroeg ik in de plaats.

'Die kan ik wel waarderen. Zijn voorkeuren voor bijbelse taferelen terzijde, hou ik van de emotie die hij in zijn werk legt. Bovendien was hij een voorstander van vrije liefde tussen twee mensen, niet gehinderd door huwelijk. Daar kan ik mezelf wel in vinden.'

'Hij hield ook niet van de georganiseerde religie, als ik me dat goed herinner.'

'Precies,' zei ze met een grijns, 'een man naar mijn hart. Ik hou van de realistische werken,' ging ze verder, 'schilderijen waarin de echte wereld wordt weergegeven. Luke Fildes, bijvoorbeeld. Zijn werk *The Widower* is prachtig. U zou hem ook wel kunnen appreciëren. Hij schildert graag mooie meisjes.'

Dat deed me grinniken. Ik had al wel van hem gehoord, maar die mooie meisjes had ik nog niet gezien.

'Maar je moet toegeven dat de onmogelijke taferelen ook hun aantrekking hebben,' zei ik. 'Neem nu Hieronimus Bosch. Enkele honderden jaren geleden al creëerde hij monsters die nu nog aanstoot geven. Dat is toch fantastisch?'

Hierop moest ze opnieuw glimlachen. 'Daar hebt u gelijk in. Die schilderijen kan ik hun onwerkelijkheid wel vergeven.'

Het verbaasde me niet dat ze voor het Franse realisme ging. De Studente had er een grondige hekel aan als er iets niet werd gezegd zoals het was. Noem iets toch bij zijn naam, zou ze zeggen. Ze hield van de rauwe werkelijkheid. Voor haar was poëzie niet iets dat deze wereld oversteeg, maar zat het juist in de kleine dingen van het leven.

Ze kon haar focus leggen op dingen waar u en ik niet verder over zouden nadenken. Als ze zich sneed aan een stuk glas, ging ze geen doek halen zoals normale mensen. In plaats daarvan keek ze gefascineerd naar het bloed dat uit haar vinger opwelde. Vervolgens stak ze dan de bebloede vinger in haar mond, om de smaak te catalogiseren en te beoordelen. Als ze spierpijn had of een gewricht had geforceerd, maakte ze steeds dezelfde bewegingen om die pijn terug op te wekken. Het was geen zelfpijniging, maar simpelweg een onverzadigbare nieuwsgierigheid.

Ze vond het heerlijk om me nieuwe dingen bij te leren. Ik denk dat ze er genoegen uithaalde om meer te weten dan een man waarnaar ze altijd had opgekeken. De Studente deed dingen met me in bed die ik nooit voor mogelijk had gehouden. We denken vaak van onszelf dat we veel weten over ons eigen lichaam, maar zij liet me zien hoe fout die overtuiging was. Ze was oneindig in haar verdorvenheid en het was prachtig.

De Studente was jong en gierde van de hormonen. Ze raakte opgewonden van haar eigen lichaam. Ze werd bedwelmd door de macht die in haar handen werd gelegd. En ik, klassieke man die ik ben, was altijd geïnteresseerd in seks. Ik had geen hormonen om als excuus te gebruiken, maar wel de lustgevoelens die de Studente in me losmaakte.

Ze liet me opnieuw kennismaken met schoonheid en deed dat op haar eigen manier, met levenslust en sarcasme. Ook al was ze niet altijd even attent of zelfs maar vriendelijk, op het einde van de dag maakte dat niet uit. Ik kan enkel herhalen wat ik al meerdere keren heb gezegd. Ze was mooi. En daarom kon ze niet veel fout doen.

10. Intimiteit

Laat ons eerst naar de Natuur kijken. Als we teruggaan naar de voorhistorische tijden en ons de eerste ziekte of verwonding proberen voor te stellen, voelen we dan instinctief dat het de man was die zich bezighield met de genezing, het zoeken van de juiste kruiden, het uitvoeren van ruwe behandelingen? Ik denk dat weinigen zouden volhouden dat zulke handelingen voor een man natuurlijk aanvoelen en door de vrouw gemeden worden. De veronderstelling zou eerder in de andere richting liggen. En deze eerste behandelingen zijn nu toch juist de kiem waaruit de huidige geneeskunde is gegroeid.

Ik benadruk opnieuw dat er niets vreemd of onnatuurlijk is aan het idee dat vrouwen goede artsen zouden zijn voor vrouwen, en mannen voor mannen. Integendeel, het zijn enkel de gebruiken en de gewoonten die onze maatschappij verblinden voor dit denkbeeld. Ik pretendeer echter niet, zoals sommigen dat wel doen, dat het moreel verkeerd is voor mannen om vrouwen te behandelen en dat dit resulteert in grote medische fouten. In mijn eigen ervaring als geneeskundestudent heb ik vaak de eer en delicaatheid van mannelijke dokters kunnen aanschouwen. Om de woorden van een eminent Londens chirurg te gebruiken: 'Al wie tijdens het uitvoeren van zijn praktijk er niet in slaagt om het idee van sekse uit zijn hoofd te zetten, is niet geschikt voor de medische professie.'

- Medicine as a profession for women [5]

Er was een nieuwe routine in mijn leven geslopen. Haast ongemerkt hadden er zich gewoontes ontwikkeld. Ik was hier amper twee maanden, maar de Dokter had zonder er bij stil te staan een plaats voor me uitgekerfd in zijn leven waar ik me kon innestelen. Ik paste perfect.

Onze dag begon altijd hetzelfde. Ik was meestal al terug van het dorp tegen de tijd dat hij opstond. Hij zette dan de thee – de man was belachelijk kieskeurig als het op zijn eerste kopje van de dag aankwam – terwijl ik me bezighield met het ontbijt. Daarna nuttigden we onze maaltijd in stilte, beiden nog niet in de stemming voor intelligente conversaties. Soms las hij een boek, maar meestal keek hij gewoon uit het raam terwijl zijn brein langzaam wakker werd. Ik bladerde wat door het boek dat ik die dag zou lezen of neuriede bij mezelf.

Vandaag kon ik mijn ogen echter niet van hem afhouden. Er zijn van die momenten dat je naar iemand kijkt en het gevoel hebt hem voor het eerst te zien. Alsof het om een vreemde gaat die je vaag bekend voorkomt. Ik bestudeerde elke lijn van zijn gezicht, de lachrimpels in zijn ooghoeken, het litteken boven zijn rechterwenkbrauw. Ik vroeg me af hoe snel ik die kleine dingen later zou vergeten. Hoe lang duurt het voor nieuwe mensen en nieuwe gezichten de oude hebben verdrongen? Het is eigenaardig om te bedenken dat de Dokter later in mijn lijst van vage herinneringen zal terechtkomen terwijl ik nu nog elk detail van zijn gezicht kan oproepen.

Als mensen twee maanden zo dicht op elkaar leven, valt er niet te ontsnappen aan een zekere vorm van verbondenheid. Dat is eigen aan onze soort, zou ik zelfs zeggen. Het deed me nadenken over de vele vormen die intimiteit kan aannemen. Een jong koppel dat voor het eerst ruzie maakt. Een oud koppel dat enkel een blik moet uitwisselen om een hele conversatie te voeren. Een moeder die zachtjes praat tegen de baby in haar armen over alles en niets. Er zijn zo veel soorten en een simpele ochtendroutine is slechts het begin.

Voor mij heeft intimiteit lang een negatieve betekenis gehad. Ik verwarde het met intimidatie. Pas later leerde ik andere vormen kennen. Ik ontdekte dat intimiteit niet noodzakelijk gelinkt is aan fysiek contact of zelfs maar aantrekkingskracht. Het is een van die dingen waarvan we graag zeggen dat het ons menselijk maakt, maar in werkelijkheid is het iets dat veel meer op instinct vertrouwt dan op intellect. Kijk, zeggen we dan als honden op elkaar kruipen, dieren kennen geen intimiteit. Zij doen het voor het nageslacht en niets meer. Wat voelen we ons superieur, wat staan we toch ver boven andere diersoorten met onze morele waarden en ons vermogen tot liefhebben.

Maar de diepgang die we zo graag aan onszelf toekennen, de complexiteit van de menselijke geest die dieren niet bezitten, is net datgene wat ons tegenhoudt om ware intimiteit te bereiken. Waar we allemaal naar streven is een connectie met een ander persoon. Om iemand te kunnen aankijken en die persoon te zien voor wie hij werkelijk is. Iemand zonder opsmuk of rationalisaties, zonder projecties en zorgvuldig geconstrueerde maskers. Iemand in zulk licht zien kan het mooiste zijn wat je ooit zult zien in je leven, maar ook het meest angstaanjagende.

Ik heb maar één keer in mijn leven dat niveau van intimiteit bereikt. Dat was met een man wiens naam ik nooit geweten heb en wiens gezicht ik waarschijnlijk niet meer zou herkennen als ik hem morgen zou voorbijlopen op straat.

We hadden elkaar opgemerkt in een pub: hij was daar om vrouwen op te pikken die te jong voor hem waren en ik om me te laten verleiden door mannen zoals hij. Het was het soort pub, gelegen in een achterbuurt, waar niemand opkijkt van een jonge vrouw die alleen zit. De meesten gingen er waarschijnlijk van uit dat ik er zat om wat bij te verdienen.

We waren samen aan een tafeltje gaan zitten en hadden al een paar drankjes op. Er werd eerst niet veel gezegd, maar ik was me zeer bewust van een specifiek soort elektriciteit die tussen ons leek te hangen. Op een gegeven moment – ik kan me niet herinneren wie de aanzet had gegeven – besloten we om elk om de beurt een geheim te delen. Een leuk spelletje dat bedoeld was om ons beiden in de stemming te krijgen zodat we erna zonder gewetenswroeging konden vertrekken, niets meer.

Maar ik merkte dat ik aan deze vreemde man dingen vertelde die ik nooit aan iemand had verteld, dingen waarbij ik zelf nog niet had stilgestaan. En hij luisterde zo aandachtig dat ik mijn inhibities voelde wegvallen. Ook hij begon dingen met me te delen. Hoe meer we praatten, hoe reëler de spanning tussen ons werd. Het was geen seksuele elektriciteit zoals ik het in het begin had geïnterpreteerd, maar veel geladener dan dat. Ik leerde de persoon tegenover me kennen op een manier zoals ik enkel mezelf kende en dat zonder zelfs maar zijn naam te weten.

Toen we beiden zo veel verteld hadden dat ik me een lege schelp voelde, namen we afscheid. Er volgde geen dronken nacht samen. We hebben elkaar niet meer gezien na die ene avond en dat hoefde ook niet. Het voelt gewoon goed om te weten dat er ergens iemand rondloopt die mij heeft gezien zonder mijn masker en niet in afschuw terugdeinsde.

Waar het om draait is dat ik mezelf in hem zag en omgekeerd. Ik heb mijn verbondenheid gevonden in een naamloze, gezichtsloze man met wie ik één benevelde avond heb doorgebracht, gevuld met verhalen en grote woorden. Maar dat gevoel zou er niet meer zijn als we elkaar opnieuw hadden ontmoet. Sommige dingen kunnen enkel in het donker ervaren worden. Sommige dingen worden grotesk en bespottelijk in het daglicht.

Dat verhaal heb ik 's avonds aan de Dokter verteld, toen we ont-spannen tegenover elkaar zaten in het salon. In onze eindeloze koppigheid waren we erin geslaagd om gedurende twee maan-den bitter weinig van onszelf prijs te geven. En terwijl hij mijn schrijfsels had om zich over te verlekkeren, wist ik zo goed als niets van de man. Vanavond besloot ik dan ook om daar veran-dering in te brengen. Uiteindelijk was onze tijd beperkt en zou ik hem nooit meer zien nadat ik dit huis verlaten had. Het was tijd om onze achterdochtige persoonlijkheid opzij te schuiven en elkaar een stukje meer van onszelf te laten zien.

'Wat is uw intiemste moment geweest?' vroeg ik hem toen het weer even stil was.

'Dat is nogal een persoonlijke vraag, vind je niet?'

Ik rolde met mijn ogen. Hij ging het me niet gemakkelijk maken.

'Dat is de bedoeling, Dokter. Gaat u meewerken of niet?'

'Als dat betekent dat ik aan jou ook vragen mag stellen, zeker.'

Ik keek hem even nadenkend aan. Dan kreeg ik een vlaag van inspiratie en begaf me naar de keuken om een fles rode wijn uit de kast te halen. Hij nam de fles zonder vragen te stellen van me aan en ontkurkte hem handig.

'Zullen we er anders een goed, ouderwets drinkspel van maken?' vroeg ik hem.

Beeldde ik het me nu in, of zag ik een twinkeling in zijn ogen? Hij dacht waarschijnlijk dat mijn frêle lichaam geen competitie was voor het zijne. Vrouwen staan er nu eenmaal niet om bekend goed te kunnen drinken.

'Klinkt goed, maar dan zullen we wel iets meer nodig heb-ben.' Hij liep op zijn beurt naar de keuken en kwam terug met een tweede fles.

'Een voorbereid man is er twee waard,' zei hij als antwoord op mijn opgetrokken wenkbrauw.

Ik ging in kleermakerszit tegenover hem zitten.

'Hier zijn de regels,' begon ik. 'Ik stel een vraag en als u eerlijk antwoordt, drink ik. Als u besluit om te zwijgen, drinkt u en daarna mag u mij een vraag stellen.'

Hij knikte kort. 'Vuur maar af.'

Ik had mijn eerste vraag al klaar. 'Dus, intiemste moment.'

'Goed, maar enkel omdat jij het ook al verteld hebt.'

Hij was even stil en ik stond op het punt om mijn ongeduld uit te drukken, toen hij begon te spreken.

'Intimiteit is voor mij altijd iets fysieks geweest. Iets dat ik ervaarde met de vrouwen met wie ik me in bed bevond. Dat betekende niet dat elk moment intiem aanvoelde. Zoals jij waarschijnlijk ook weet, kan seks ongelooflijk onpersoonlijk zijn. De meeste intieme momenten heb ik beleefd met Catherine, de eerste vrouw aan wie ik mijn hart ben verloren. De illusie van de liefde maakte elke aanraking zo veel intenser en intiemer. Als je me deze vraag een paar weken geleden zou hebben gesteld, zou Catherine mijn antwoord geweest zijn. Maar toen kwam jij met je houten hulpmiddel.'

Hij glimlachte naar me en ik was even met verstomming geslagen. Dát was zijn meest intieme moment? Ik denk dat hij mijn ongelovige blik gezien had, want hij ging verder.

'Ik heb me nog nooit zo overweldigd of beschermd gevoeld als in dat moment. En ik ben eerlijk gezegd nog nooit harder klaargekomen. Hoewel mijn definitie van intimiteit misschien beperkt is, kan ik niets anders bedenken dat zelfs maar in de buurt komt.'

Niet wetende wat ik hierop moest zeggen, nam ik een slok wijn. Of misschien toch maar een volledig glas. Terwijl mijn handen bezig waren met inschenken van een nieuw glas, klaarde ik mijn keel en zei: 'Uw beurt'.

'Goed dan, op welk moment wist je dat je dokter ging worden?'

Er spoelde een opgelucht gevoel over me. Dit was veilig terrein en stuurde de conversatie weg van het intens ongemakkelijke idee dat ik de Dokter zijn belangrijkste moment van intimiteit had bezorgd.

'Toen ik als twaalfjarige van mijn grootvader een essay kreeg dat geschreven was door Sophia Jex-Blake. Zij beargumenteerde waarom vrouwen dokter zouden moeten kunnen worden. Op dat moment realiseerde ik me dat ik niet alleen was en dat het wel degelijk een mogelijkheid was. Toen enkele jaren later de eerste medische school voor vrouwen openging was ik vastbesloten om daar bij te zijn.'

Als twaalfjarige trachtte ik me al in medische boeken te verdiepen. In mijn naïeve adolescentie had het idee om dokter te worden zich in mijn geest vastgezet. Het was vooral de autoriteit die het beroep met zich meebracht die me aansprak. Het idee dat niemand nog zou zeggen wat ik moest doen omdat ik degene was die de bevelen gaf, degene die het beste wist wat er moest gebeuren.

Toen ik uiteindelijk thuis mijn ideeën over mijn toekomst deelde, werd dat niet goed ontvangen. Mijn stiefvader wou dat ik zou trouwen met een of andere rijke erfgenaam. Mijn moeder wou vooral dat ik gelukkig werd en zag niet veel geluk in een carrière waar vrouwen constant moeten vechten voor een plaats. Maar ik weigerde van mijn doel te wijken. In 1876 werd vervolgens ook de wet aangepast zodat vrouwen het beroep mochten uitoefenen, en had ik er een krachtig argument bij.

Na vele jaren van onophoudelijk discussiëren wist mijn moeder mijn stiefvader te overtuigen om me te laten studeren als ik toegelaten zou worden. Hij stemde ermee in op voorwaarde dat ik opnieuw bij hen zou komen inwonen na mijn studies om in het naburige ziekenhuis te werken en daarna te trouwen met een man van zijn keuze. Een afspraak die ik nooit van plan was om na te komen.

Het was mijn beurt om een vraag te stellen en ik besloot om het nog even rustig te houden.

'Als u een ander beroep zou moeten kiezen dan dit, wat zou het dan zijn?'

Hij glimlachte bij zichzelf en zei: 'Schrijver.'

'Waarom schrijver?'

'Waarom niet? Toen ik jong was leek me dat het meest fascinerende beroep dat er kon zijn. Later koos ik voor mijn meer praktische passie, geneeskunde. Maar het is altijd blijven hangen aan de randen van mijn bewustzijn.'

'Hebt u nooit iets geschreven?'

'Ik heb het wel geprobeerd, maar mijn talent voor fictie lijkt beperkt te zijn. Misschien dat ik ooit wel een autobiografie schrijf, wie weet.'

Hij haalde zijn schouders op en leek zich wat te schamen voor zijn antwoord, maar ik keek hem bedachtzaam aan.

'Ik denk dat u een goede schrijver zou zijn als u zich erop toelegde. Geneeskunde en literatuur zijn tenslotte niet zo verschillend. Beide vragen een aandacht voor detail en een gezonde portie creativiteit en doorzettingsvermogen.'

'Ik dacht dat jij niet geloofde in creatieve geneeskunde?'

'Inderdaad, maar ik kan niet ontkennen dat die stijl voor u werkt.'

'Wel, bedankt in elk geval Maar ik denk dat het wat laat

is om van carrière te veranderen. En jij moet nog drinken.'

Ik stak mijn handen omhoog in een gebaar van overgave en nam mijn glas vast. 'Het is uw beurt,' zei ik.

Hij streek even met een lange vinger over zijn kin terwijl hij me aandachtig aankeek.

'Waar heb jij zo leren vrijen?'

Ik kon een glimlach niet onderdrukken. Het was een vraag die zo typisch was voor de Dokter dat elke andere vraag onecht was geweest.

'Godgegeven talent.'

'Dat beschouw ik niet als een antwoord.'

Ik haalde mijn schouders op en dronk opnieuw van mijn glas.

'Vertel me eens over uw eerste keer,' vroeg ik.

'Er was niets bijzonders aan mijn eerste keer. Ik had een meisje verleid in de pub aan de universiteit als resultaat van een weddenschap. Het ging verrassend goed en ik belandde met haar in bed. Achteraf ontdekte ik waarom ze zo gemakkelijk te verleiden viel, toen ze haar betaling verwachtte. De hele gebeurtenis was bijzonder onopmerkelijk.'

Hij dronk van zijn glas voor hij verderging.

'Pas veel later kwam ik erachter dat vrouwen er ook plezier in kunnen scheppen. Daar probeer ik dan ook altijd voor te zorgen,' sloot hij af met een grijns.

Ik hield mijn glas omhoog als een saluut en nam ook een slok.

'Waarom heb jij houten genitaliën in je bagage?' vroeg hij.

Het onschuldige avontuur waar hij naar verwees had een donkere ondertoon gekregen door de bekentenis die hij net had gedaan, maar ik besloot om dat te negeren.

'Ik hou ervan om mannen als u een toontje lager te laten zingen. Of hoger, zou ik moeten zeggen.'

Ik knipoogde en genoot van de blos die over zijn gezicht gleed. Hij herinnerde zich ongetwijfeld het geluid dat hij had gemaakt toen hij zijn orgasme had bereikt. Ik wachtte tot hij een slok had genomen voor ik mijn volgende vraag stelde.

'Hebt u ervaring met mannen?'

Hij bekeek me even, alsof hij zich ervan wou vergewissen dat het een goed idee was om die informatie te delen.

'Af en toe kwam er weleens een student langs die zijn dankbaarheid op andere manieren wou laten zien. Daarbuiten kan ik niet zeggen dat ik er ervaring mee heb, nee. Ik heb nooit last gehad van seksuele verwarring.'

Ik was aangenaam verrast door zijn antwoord. Er zijn niet veel mensen die dat zouden durven toegeven. Bovendien was het idee van de Dokter met een of andere student voor zich op zijn knieën ongelooflijk opwindend.

'Vertel me eens wat meer over uw seksuele ervaringen. Ik had het idee dat u niet erg avontuurlijk was, maar misschien heb ik dat verkeerd ingeschat.'

Hij ging niet in op het feit dat het eigenlijk zijn beurt was om een vraag te stellen, maar grijnsde me toe en begon te vertellen.

'Ik sta voor erg veel open, maar het probleem is om een andere partner te vinden die ook wat anders wilt. Met Catherine heb ik het meest kunnen experimenteren. We ontdekten al snel dat niets zo veel focus brengt in het spel als pijn. Met haar aansporing probeerde ik steeds nieuwe dingen uit op haar lichaam, van kaarsvet en een klap op haar billen tot vastbinden en stokslagen. Het wond ons beiden enorm op, maar ik bleef bang zijn dat ik ooit te ver zou gaan. Ik heb maar al te vaak gezien dat we allemaal in staat zijn tot dingen die we nooit hadden verwacht.'

Hij zweeg even en keek bedenkelijk naar zijn glas wijn, alsof het antwoord daar te vinden was.

'Soms denk ik dat we allemaal beter wat banger zouden zijn van onze capaciteit om mensen pijn te doen,' zei hij uiteindelijk.

Ik glimlachte. Die opmerking was juister dan hij zelf besefte. Toch was ik zelf nooit bang geweest van mijn vermogen om mensen pijn te doen. Integendeel, het voelde als een bescherming. Ik wist dat ik niet machteloos stond, dat ik de controle kon terugnemen als het nodig was. Het is enkel het afgeven van controle wat angst in mij opwekt.

Maar dat was niet waar ik op dit moment over wou nadenken.

'Nu begrijp ik iets beter waarom u de boeken van Markies de Sade in uw kast hebt staan.'

'Die man neemt zijn spel nog net iets verder dan ik.'

'En hoe ver nam u het dan precies?'

Ik keek hem aan met een plagende glimlach op mijn mond. De uitdaging was duidelijk. Ik wou details horen.

'Zoals ik al zei, we hebben vanalles geprobeerd. Ik kon haar het hardst laten klaarkomen wanneer ze een kriskras van striemen over haar rug had lopen. Ik hield dan weer van haar tanden op de zachte huid van mijn nek of de binnenkant van mijn dij.'

Terwijl hij aan het praten was, bleef ik hem aankijken en liet ik mijn hand in een lui gebaar over mijn lichaam dwalen. Hoe meer hij zei, hoe zuidelijker mijn aanrakingen werden. Zijn blik werd er als een magneet naartoe getrokken.

'Maar vastbinden vond ik ook bijzonder interessant. Het was bedwelmend om haar zo hulpeloos onder mij te hebben liggen. Ze was van mij, in dat moment. Mijn eigendom, om te gebruiken zoals ik dat wou. En dat deed ik dan ook. Net zoals jij met mij doet, bijna elke avond. Ik ben tenslotte gewoon een speeltje voor jouw plezier, niet?'

Met deze laatste woorden maakte hij terug oogcontact en ik kwam bijna tot mijn hoogtepunt door die laatste zin, aangespoord door de cadans van zijn schorre stem. Maar, besloot ik, het was aan hem om me over het randje te duwen. Ik spreidde mijn benen en maakte met een gebaar van mijn hand duidelijk waar ik zijn hoofd precies wilde hebben. Als het brave speeltje dat hij was, gehoorzaamde hij meteen.

We hebben het spel nog tot in de vroege uurtjes gespeeld, lang nadat de alcohol op was en de regels in ons hoofd vervaagd waren. We vroegen elkaar alles wat we maar konden bedenken en wonden elkaar geweldig op. De uiteindelijk vrijpartij was kort maar intens, aangewakkerd door dat gevoel van verbondenheid dat enkel drank zo effectief kan opwekken.

Ik gleed pas uit de sofa nadat hij was ingedommeld en ging naar mijn eigen bed om dit te kunnen opschrijven. Ik proef zijn adem nog op mijn tong, zijn geur zit in mijn huid en zijn gedachten hebben een hele avond mijn hoofd gevuld. Dit, bedenk ik me terwijl ik door mijn raam naar de opkomende zon kijk, is intimiteit.

11. De bezoedeling

Er is een reden dat voor het jaar 1832 enkel misdadigers op onze dissectietafel kwamen te liggen. Het ondergaan van een dissectie wordt door de meeste mensen beschouwd als een bezoedeling van de overledene. En dat was volgens hen ook precies wat die moordenaars verdienden. Om dezelfde reden dat er bij de galg altijd een groep joelende mensen stond, werd zonder nadenken de toestemming gegeven om terdoodveroordeelden na hun executie door te sturen naar ons. Het was een vorm van wraak, want een simpele ophanging is zelden genoeg om onze bloedlust te stillen.

Toen de wet uiteindelijk veranderde en ook de ongeïdentificeerde lijken uit armenhuizen naar de universiteiten gingen, werd dat niet goed ontvangen bij het volk. Plots konden mensen zelfs na hun dood nog gestraft worden voor het feit dat ze arm waren geboren. Dissecties werden daarom in die jaren minder in de openbaarheid gebracht en het publiek beperkte zich tot de studenten en professoren. Het mocht geen spektakel meer zijn.

Zelf kon ik me altijd gemakkelijk boven de gevoelens van het volk stellen. Of er nu een misdadiger of een bedelaar op mijn tafel lag, ze werden allemaal hetzelfde behandeld. Hoeveel lijken ik ook ontleedde over de jaren, ik kreeg elke keer weer even die opgewonden rilling voor ik mijn mes in de huid zette. Op welke raadsels zou ik deze keer stoten? Het kon me niet schelen wat voor persoon het was geweest, ik wou enkel weten wat zijn lichaam te vertellen had.

Recente gebeurtenissen hebben me echter doen inzien dat ook ik ten prooi kan vallen aan moordlustige gevoelens die geen plaats laten voor rationele gedachten. Het had geen verrassing mogen zijn dat de Studente ook bij deze ontdekking aan de basis lag.

De ochtend na ons drankspel werd ik wakker met het overweldigende gevoel dat er iets was veranderd Ik stond recht – strammer dan gewoonlijk, want op mijn leeftijd is het niet verstandig om de nacht door te brengen in een sofa – en zag een klein stapeltje papieren voor me op de koffietafel liggen: haar schrijfsel van de vorige avond.

Haar woorden waren hypnotiserend voor mijn pas wakker geworden geest. Ik zou het nooit aan haar vertellen, maar ik was elke keer opnieuw gefascineerd door wat ze schreef. Zelfs wanneer ze het mis had, kon je niet goed je vinger op de fout leggen. Of haar beschrijving van intimiteit nu juist was of niet, het voelde aan alsof het altijd zo was geweest.

Met dat licht onwerkelijke gevoel dat een late avond met zich meebrengt, volgde ik de geur van spek naar de keuken. Daar stond de Studente rustig neuriënd achter het fornuis. Ze zag me binnenkomen en glimlachte. Een zachte, onbewaakte glimlach, enkel tussen ons. Ik voelde de verbondenheid die ze gisteren zo uitvoerig had beschreven tussen ons tintelen.

In de loop van de dag begon ik plots overal tekenen van intimiteit te zien. Ik wachtte op het gevoel van angst dat daar meestal mee gepaard gaat, maar het bleef uit. Sterker nog, hoe meer tekens ik zag, hoe meer ik ernaar snakte. Ik wou de Studente nog beter leren kennen. Ik wou de vreemde in de pub zijn aan wie ze haar geheimen opbiechtte.

In de namiddag besloot ze om toch naar het dorp te gaan, aangezien ze die ochtend niet vroeg was opgestaan. Het was tenslotte al ochtend toen ons spel gedaan was. Mij maakte dat niet veel uit, als ik mijn eten maar om zeven uur op tafel kreeg. Om halfzeven was ze echter nog altijd niet terug. Ik begon me een beetje te ergeren, want ze bleef normaal nooit zo lang weg en koos dan uitgerekend vandaag om dat plots wel te doen. Net wanneer de klok me liet weten dat het zeven uur was, hoorde ik de deur dichtklappen.

Ik sloeg mijn boek dicht en ging rechtop zitten, klaar om haar op de vingers te tikken. Zodra ze binnenkwam, zag ik echter dat er iets mis was. Het duurde een paar lange, stille seconden voor ik er mijn vinger kon opleggen. Haar gezicht was bleek en strakgetrokken, geen spoor van emotie te bekennen. Ze liep met een krampachtig rechte rug en met elke stap die ze zette naar de keuken spanden haar spieren op in pijn. Haar jurk was modderig en gescheurd langs een kant, alsof ze was gevallen. Ik zag een roestbruine veeg op haar ontbloot been die ik herkende als opgedroogd bloed.

Ze zag eruit als een van de vele vrouwen die ik vroeger had gezien met inwendig trauma en ruwhandige echtgenoten. Ik kon haast de onzichtbare handen zien die de Studente hadden vastgegrepen en er kwam een rode waas voor mijn ogen. Op dat moment was ik tot alles in staat geweest. Maar er was niemand om aan te vallen, niemand om met mijn scalpel te bewerken. Enkel de Studente, die mijn hulp nodig had.

Ik volgde haar modderige voetstappen naar de keuken. Wat ik daar zag brak mijn hart. Ze stond met haar rug naar me toe, leunend op het aanrecht met haar hoofd hangend tussen haar opgetrokken schouders. Ik had haar nooit zo kwetsbaar gezien, zo verslagen. Mijn stem wou eerst niet meewerken en stokte in mijn keel, maar er was één vraag die gesteld moest worden.

'Wie?'

Haar lichaam verstijfde zo mogelijk nog meer, maar ze gaf verder geen teken dat ze me gehoord had.

'Wie?' vroeg ik opnieuw, mijn tanden op elkaar geklemd.

Ze ademde diep in en zei: 'De zoon van de drogist.'

Haar stem klonk hard en koud, geen spoor van de kwetsbaarheid die ik in elke lijn van haar lichaam zag.

Ik probeerde wanhopig mijn woede onder controle te houden. Dat was het laatste wat de Studente nu nodig had. Met een zachte hand raakte ik haar schouder aan. Ze trok meteen weg, alsof ik haar een klap had gegeven.

'Kom mee, ik laat een bad voor je vollopen.'

Ik draaide me om en ging de trap op. Na een paar stappen hoorde ik haar in beweging komen, nog altijd met die krampachtige loop. Gelukkig had de stoof kort geleden gebrand en was er nog warm water beschikbaar. Ik vulde het bad en zorgde ervoor dat het niet te heet werd. De Studente keek stil toe terwijl ik alles voorbereidde.

Met alle chirurgische zachtheid die ik door de jaren heen had opgedaan, begon ik methodisch haar kledij te verwijderen. Mijn hart deed pijn terwijl ik terugdacht aan alle keren dat ik de Studente al had uitgekleed, hoe haar ogen me vol lust hadden aangekeken. Wat een pervers afkooksel was dit van al die andere keren.

Ze bleef geduldig staan terwijl ik probeerde om de kleding uit te krijgen zonder haar nog meer pijn te berokkenen. Ik zag aan haar blik dat ze even niet aanwezig was. Dat ze zich had teruggetrokken van het moment dat ik haar schouder had aangeraakt. Misschien was dat ook het beste.

Toen ze naakt was, deed ik een vlugge inspectie om te zien waar de meeste schade zat. Met snelle, zekere handen ging ik over de contouren van haar lichaam. Er waren al blauwe plekken aan het verschijnen ter hoogte van haar hals, ribbenkast en heupen. De ribben leken gelukkig niet gebroken te zijn, al merkte ik aan haar vertrokken gezicht dat ze minstens gekneusd waren. Haar ogen vertoonden verschillende gesprongen bloedvaten, het resultaat van de wurgstrepen rond haar nek. Haar vingernagels waren gescheurd en bespat met bloed, waarschijnlijk van haar aanvaller. De zoon van de drogist... Ik had geen idee hoe hij eruitzag, maar daar zou ik snel genoeg achter komen. Weer kwam de rode waas voor mijn ogen en ik liet haar arm los voor ik haar pijn zou doen.

Het bloed dat ik eerder had gezien kwam van tussen haar benen. Hoe erg het daar was kon ik nog niet zien. Ze reageerde niet zichtbaar toen ik druk op haar onderbuik uitoefende, dus de kans dat ze inwendig trauma had opgelopen was klein. Waarschijnlijk kwam het bloed van een oppervlakkige scheur.

Gerustgesteld hielp ik haar in de badkuip. Een been opheffen bleek een onmogelijke taak voor haar, dus pakte ik de Studente zachtjes in mijn armen en liet haar langzaam zakken in het warme water. Ze zoog lucht binnen tussen haar opeengeklemde tanden toen ze ging zitten, maar gaf verder geen teken van leven. Het water kreeg al snel een onaangename lichtroze kleur. Ik deed intussen mijn best om haar schoon te krijgen met een ruwe spons en een kan om haar haren uit te spoelen.

Het liefst zou ik alle tekenen dat er iemand anders aan haar lichaam had gezeten wegvagen. Ik zou alle verwondingen wegschrobben, zodat de Studente kon vergeten dat dit ooit gebeurd was. Maar hoe hard we ook proberen als dokter, we kunnen niet alles doen voor onze patiënten. En hoe dichter iemand bij ons staat, hoe machtelozer we ons voelen.

Nadat het water te vuil was om nog iets schoon te krijgen, besloot ik haar eruit te halen. Ze ging gedwee mee, bleef rustig staan terwijl ik haar afdroogde en volgde me naar haar slaapkamer. Daar deed ik haar een schoon nachtkleed aan en nam ik haar opnieuw in mijn armen om haar in bed te leggen. Nu restte er nog een laatste onaangename taak.

Ik ging naar mijn werkkamer om een hechtsetje. Toen ik terug op haar kamer kwam, was ze al in slaap gevallen. Het deed me pijn om haar terug te moeten wakker maken, maar dit was te belangrijk. Zachtjes schudde ik haar.

'Ik moet nog één ding doen voor je kan gaan slapen. En het gaat pijn doen.'

Ze keek me met lege ogen aan en spreidde haar benen zonder iets te zeggen. Nu het vuil was weggewassen kon ik duidelijk de scheur zien die zo had gebloed. Het was oppervlakkig, maar te groot om het zo te laten. Ik klemde mijn tanden op elkaar. Het voelde alsof ik de naald in mijn eigen huid ging zetten. Met vaste hand begon ik de hechtingen te plaatsen, zoals ik al bij talloze patiënten en lijken had gedaan. De Studente gaf geen krimp gedurende het hele proces en bleef gewoon geduldig liggen.

Toen ik mijn spullen begon weg te zetten, sloot ze haar benen en draaide zich op haar zij. Ik legde het deken over haar. Dat was de enige aanraking die ik aandurfde. Misschien was het de lichtinval, maar ik dacht dat ik tranen zag in haar ogen. Ik wist dat ze niet zou willen huilen met mij erbij, dus besloot ik om haar alleen te laten. Stil trok ik de deur achter me dicht en gaf de Studente over aan een onrustige nacht.

Mijn eigen nacht was gevuld met dromen over halfhartige wraakpogingen, schreeuwende vrouwen en mannen die hun gezicht in de schaduw hielden. Ik werd 's ochtends wakker op het uur waarop de Studente meestal naar het dorp zou vertrekken, zonder me uitgerust te voelen. Mijn eerste gedachte ging naar de taak die me nog te wachten stond. Er moest een urgente telegram naar Londen gestuurd worden. Ik was ongeduldig om hem af te leveren, al hield dat iets in dat ik al twintig jaar aan het uitstellen was: het verlaten van mijn domein. Maar nu was er iemand die me nodig had en dat veranderde alles. Hoe lang was het geleden dat ik nodig was geweest?

Ik kleedde me aan en kon het niet nalaten om even in de Studentes slaapkamer te gaan kijken voor ik vertrok. Ze lag nog altijd op haar zij, alsof ze helemaal niet had bewogen sinds de vorige avond. Ik besloot haar niet te storen. Met een beetje geluk was ik terug voor ze wakker werd.

De wandeling naar het dorp was langer dan verwacht. Of misschien was ik in slechtere conditie dan ik dacht. Gelukkig bevond de telegraaf zich aan de rand van het dorp en moest ik me niet in het centrum begeven. Ik weet niet wat ik zou hebben gedaan als ik de zoon van de drogist was tegengekomen.

De telegraaf beloofde om het bericht zo snel mogelijk door te sturen. Toen dat geregeld was, besloot ik om langs het huisje te gaan waar, volgens wat ik mij herinnerde, mijn dienstmeid moest wonen. De vrouw was even te verbaasd om iets uit te brengen. Niet verwonderlijk, want niemand in het dorp had me ooit al buitenshuis gezien. Ik legde haar uit dat mijn studente ziek was en dat we hulp nodig hadden voor een week of langer. Ze stemde meteen in en zou later die dag langskomen om lunch te maken.

Minder dan een uur was gepasseerd toen ik terug aan mijn voordeur stond. Ik hoorde echter meteen gestommel boven me dat signaleerde dat de Studente toch wakker was geworden. Ik kwam haar onderweg naar de badkamer tegen. Ze leunde tegen de muur en had moeite met stappen.

'Wat doe je uit bed?' vroeg ik haar.

'Ik moet plassen. Wat had ik anders moeten doen?'

Het verbaasde me hoe blij ik was om de ergernis in haar ogen te zien. Alles was beter dan de leegte van gisteren.

'In bed blijven en wachten tot ik je een pan kom brengen.'

'Dokter, als u ook maar een moment verwacht dat ik in een pan ga plassen als een of andere invalide, dan bent u een grotere idioot dan ik dacht. Laat me door of ik doe in mijn broek.'

Met een zucht liet ik haar passeren. Als ze koppig wou zijn, zou ik haar ook niet naar de badkamer helpen. Ik dacht aan de hechtingen die ik gisterenavond had gezet en mijn gezicht vertrok in medelijden. Plassen zou geen aangename activiteit worden.

Ik heb me ooit eens laten vertellen dat dokters de slechtste patiënten zijn. Hoe waar die uitspraak is, heb ik pas ondervonden in de dagen die volgden op de Studentes aanranding. Ze had te veel pijn om lang te kunnen stappen en haar gekneusde ribben maakten ademhalen moeizaam. Toch weigerde ze elke vorm van pijnstilling die ik haar aanbood. Haar schrijfsels van die dagen waren donker en kwaad, met lange beschrijvingen van wat ze zou doen wanneer ze terug kon stappen. Ze scheurde bijna haar hechtingen door alleen in bad te willen stappen. Ze weigerde in bed te eten ondanks het feit dat ze niet comfortabel op een stoel kon zitten. Ze gaf de helft van het leesmateriaal dat ik meebracht voor haar terug. Ze bracht de dienstmeid meerdere keren tot tranen. Kortom, de Studente was geen plezier om in huis te hebben die dagen.

Haar slechte humeur merkte ik echter amper op. In plaats daarvan was ik zorgvuldig aan het zoeken naar een indicatie dat ze aan het breken was. Ze leek alles te hebben weggestoken en gooide zich volledig op beter worden. Maar ik wist dat het niet zo gemakkelijk was. Ik wist dat zulke trauma's littekens op de geest achterlieten. Bij haar moest het nog een open wonde geweest zijn, maar ze weigerde ervoor te zorgen of er aandacht aan te besteden. Dus viel het op mij om te zorgen dat de wonde niet zou ontsteken.

Ik leidde haar af met schaakspelen en boeken, probeerde haar te laten discussiëren over kunst of literatuur, stelde haar medische vragen om haar brein scherp te houden. Ze ging mee in mijn overduidelijke pogingen om haar te vermaken, met sporadisch wat rollende ogen.

Elke keer wanneer ik een toespeling maakte op de avond dat ze zo gehavend was thuisgekomen, veranderde ze van onderwerp. Eerst dacht ik dat het te gevoelig was om erover te praten, maar naarmate de dagen vorderden besefte ik dat schaamte er ook voor iets tussen zat. Niet voor wat er gebeurd was, maar voor hoe ze erop gereageerd had. De Studente weet net als ik dat het onmogelijk is om te voorkomen dat er slechte dingen gebeuren. Maar ze gelooft dat het verschil ligt in hoe iemand op zulke gebeurtenissen reageert. Ze heeft het nooit hardop gezegd, maar ik denk dat ze kwaad was op zichzelf omdat ze die avond zo overstuur was. Ze was niet altijd gemakkelijk in de omgang, maar ze was voor niemand zo hard als voor zichzelf.

Ik wist dat er niets was dat ik kon zeggen om die schaamte te verminderen. Het enige wat ik kon doen was haar behandelen als dezelfde vrouw die twee maanden geleden op mijn drempel stond. Want voor mij was ze nog altijd diezelfde vrouw. Ondanks de nieuwe littekens die ze hieraan zou overhouden, was ze hetzelfde prachtig wezen.

Wat verder door mijn hoofd bleef spoken was de gezichtsloze zoon van de drogist. De man die dit alles had veroorzaakt. Ik wist niet hoe hij heette of waar hij woonde, maar dat zou me niet tegenhouden. De Studente zou haar kans op vergelding krijgen.

Dan, bijna een week na het voorval, vond ik 's ochtends eindelijk een briefje op mijn tafel om te signaleren dat mijn levering was aangekomen. Ik kon de golf van pervers genoegen niet onderdrukken. De Studente lag nog in bed, maar ik wist dat ik niet lang zou kunnen wachten voor ik haar wakker maakte. Het was tenslotte haar wraak.

12. Sterfelijkheid

Strangulatie, of dood door wurging, is de geforceerde compressie van de luchtpijp om respiratie te vermijden en asfyxie te veroorzaken. Het verschil tussen dood door strangulatie en dood door ophanging is dat de persoon niet hangt. Bij ophanging helpt het gewicht van het lichaam bij de verstikking. Dit betekent dat moord door strangulatie gewelddadiger moet zijn om hetzelfde effect te verkrijgen en dat de verwondingen in de nek dus vaak meer uitgesproken zijn.

Meestal wordt er een koord gebruikt om de strangulatie uit te voeren. Het kan echter ook worden uitgevoerd op vele andere manieren, zoals door een reeds aanwezig kledingstuk rond de nek aan te spannen of door de larynx samen te drukken tussen duim en wijsvinger. Dit laatste werkt het best als het slachtoffer beneveld is of slaapt.

- Medico-legal Treatise on Homicide by External Violence [2]

De mens is een fragiel dier. Ons lichaam kan maar weinig krachten verdragen voor het breekt of scheurt. Toch blijven we elke dag de grenzen van het mogelijke opzoeken. We verzinnen manieren om onze kwetsbare huid te beschermen tegen warmte of koude of om onze botten te vrijwaren van impact. Maar een ongeluk is snel gebeurd. En kwaad opzet is nog sneller gebeurd.

Uiteindelijk zijn we zelf onze ergste vijand. We moorden elkaar uit alsof het niets is. Alsof dat de natuurlijke orde is. Mannen vinden dat ze boven vrouwen staan en de meeste vrouwen dulden het gewoon. Wanneer gaan we leren dat er niets onnatuurlijker is dan dat? Er wordt van ons verwacht dat we het normaal vinden dat wij geen stemrecht krijgen, dat we niet als evenwaardige professionelen worden gezien. Volgens de wet ben ik een volwaardig dokter, maar in de ogen van mijn collega's ben ik onherroepelijk minderwaardig. Hoe kan een vrouw zich schikken in die rol? Hoe kan men verwachten dat zij zich netjes omdraait en zich laat nemen als de broedkip die ze zou moeten zijn?

Vanochtend werd ik voor het eerst in zes dagen wakker zonder een brandend gevoel tussen mijn benen. Ik nam even de tijd om me hier tevreden over te voelen. Wat er ook gebeurt, ik kan er altijd op rekenen dat mijn lichaam zich blijft genezen. Dat betekende dat de hechtingen er binnenkort uit zouden mogen. Misschien dat ik daarmee ook de nachtmerries zou kunnen afschudden.

Ik had mezelf een week gegeven, toen ik die avond aan de gootsteen in de keuken stond. Een week om alle narigheid kwijt te raken. Een week om zwak te zijn, geen dag meer. Maar mijn zeven dagen waren bijna om en nog steeds waren er momenten dat ik zijn handen rond mijn nek voelde.

Verschillende keren per nacht werd ik wakker, snakkend naar adem, ervan overtuigd dat iemand mijn luchtpijp aan het dichtknijpen was. Dan hoorde ik zijn stem weer in mijn hoofd: *Stil zijn, of ik sla je mond dicht.* Die stem was zo luid, de alcoholische stank van zijn adem zo scherp, dat ik even in het donker moest turen om mezelf ervan te vergewissen dat hij er niet echt stond.

Met elke dag die passeerde, haatte ik mezelf meer. Ik haatte mezelf wanneer de diepe stem van de Dokter me deed schrikken, wanneer ik mijn handen zag trillen bij het vastpakken van een kop thee. Ik haatte de blik van medelijden op de gezichten van de dienstmeid en de Dokter en wist dat het was omdat ik er zo breekbaar uitzag.

Jaren geleden had ik mezelf beloofd dat ik me nooit meer in zo'n positie zou bevinden. Ik zou ongenaakbaar zijn, mezelf laten omringen door een veilige, koude schelp. Voor een tijd was ik ervan overtuigd dat ik die belofte zou kunnen houden. Maar natuurlijk had het lot daar anders over gedacht.

Ik keek uit het raam naar de zonnige dag die voor me lag in de hoop de donkere gedachten van me af te kunnen schudden. Tijd om mezelf weer uit bed te halen. De Dokter vond dat ik voorzichtiger moest zijn. Dat ik die eerste dagen in bed had moeten blijven en me had moeten laten bedienen. Ergens wist ik dat hij gelijk had, maar ik ben het niet gewoon om in die mate rekening te houden met mijn eigen beschadiging. In het verleden was niemand op de hoogte van de blauwe plekken of bezeerde gewrichten onder mijn kleren. Het belangrijkste was dat ik me normaal gedroeg, ook al deed elke beweging pijn. Ik droeg mijn verwondingen als het geheim dat ze waren, met mijn hoofd rechtop en mijn gezicht gladgestreken.

De Dokter had zich verrassend genoeg ontpopt tot een toege-wijde verzorger. Hij leek vastbesloten om me niet over te laten aan mijn donkere gedachten. De ene dag was ik hem dankbaar om de aandacht, de andere dag had ik meer zin om hem een slag in zijn gezicht te geven. Maar er was niets aan te doen. Voorlopig was ik afhankelijk van hem.

Ik moest ook voor het eerst omgaan met de dienstmeid die tijdelijk was teruggeroepen van haar impromptu vakantie. Ze was best vriendelijk en leek een solidariteit te voelen tegenover mij, als gekwetste vrouw. Maar haar aandacht werkte al snel op mijn zenuwen. Ik snakte naar mijn ochtendwandelingen, naar die tijd voor mezelf waarin ik even aan niets hoefde te denken. Hier in mijn donkere kamer waren er te veel pijnlijke herinneringen die naar boven kwamen.

Die avond bleef zich in mijn hoofd afspelen. Had ik iets kunnen doen om het te voorkomen? Was er een moment geweest dat ik hem had kunnen overmeesteren? Had ik met hem kunnen praten? Hoe kwam het dat dit kon gebeuren, na alles wat ik al had meegemaakt? Was er iets aan mij dat mannen als hem aantrok?

Dit waren de vragen van een kind, dacht ik bij mezelf met een gevoel van walging. Ik was sterker dan dit. Ik had te veel overwonnen om nu mijn eigen emoties de baas te laten spelen. Dit was een eenmalige nederlaag. Maar ik tel in overwinningen, niet in verliezen. Ook dit zou ik overwinnen. U kan me beledigen, slaan, neersteken, in de grond neuken, vernederen of wurgen, maar u zal me nooit zien huilen.

Wanneer ik niet te druk bezig was met deze zelfkastijding, dacht ik aan wraak. Ik was er nog niet helemaal uit welke vorm die wraak ging aannemen. Een simpele dood leek een te gemakkelijk uitweg. Maar alles waar hij levend vanaf zou komen kon resulteren in mijn arrestatie. Wat ik ook zou doen, het zou moeten wachten tot ik terug op volle fysieke kracht was. Hij zou me geen tweede maal overmeesteren. Die gedachte zorgde ervoor dat ik elke dag weer uit mijn bed klom, dat ik probeerde om geen maaltijden over te slaan en om mezelf bezig te houden. Vandaag was gewoon weer zo'n dag.

Ik zwaaide mijn benen uit bed en concentreerde me op mijn lichaam. Mijn ribben deden nog pijn bij het ademhalen, maar beduidend minder dan vorige week. Mijn keel voelde niet meer zo rauw, hoewel de spieren nog pijnlijk waren. Ik kon nu mijn volledige gewicht op mijn benen zetten zonder een pijnscheut te krijgen. Dat was het meest hoopgevende van allemaal. Goedgehumeurd stond ik op en begaf me naar de keuken, op zoek naar een ontbijt. Het beste aan de aanwezigheid van de meid was het eten. Ik was opgelucht dat ik even niet zelf moest koken en zij was werkelijk een talent in de keuken.

Ik nam mijn volgeladen bord mee naar de eetkamer, maar de Dokter was niet te bekennen. Wat ik wel vond was een briefje op de tafel, zoals ik dat ook had gevonden bij de eerste dissectie. Er was een nieuw lijk gearriveerd. Ik glimlachte bij mezelf. Een ontleding om me in te verdiepen klonk als de ideale afleiding. Zeker nu ik relatief pijnloos kon rondstappen.

Nog voorzichtig, al was het met ongeduld in mijn benen, begaf ik me naar de kelder. Ik was er zeker van dat hij daar al begonnen was met de voorbereiding. Maar zijn werkkamer was stil. De Dokter stond aan het hoofdeinde van de tafel, met zijn ogen strak op mij gericht. Zijn gezichtsuitdrukking was moeilijk te interpreteren. Alsof hij ergens op aan het wachten was en niet zeker wist hoe het ging uitdraaien. Met een zekere beduchtheid naderde ik de tafel. Daar, de ogen open en nietsziend, lag het verse lijk van een onbekende man. Alleen, realiseerde ik me plots met een schok, was het geen vreemde.

Zeg dat je mijn lul wilt, slet.

Ik bleef aan de grond genageld staan. Tijd had even geen betekenis meer terwijl ik probeerde te verwerken wat ik voor me zag. De man op wie ik daarjuist nog mijn wraak aan het plannen was, lag hier voor me. Hoe kon dit?

Na wat een eeuwigheid leek, hief ik mijn ogen op van de tafel om naar de Dokter te kijken. Hij moest de vraag in mijn blik hebben gezien.

'Ik heb een paar goede vrienden die in Londen wonen. Het was tijd dat ze het dorp eens bezochten.'

Zijn woorden werden nonchalant uitgesproken maar ik las de spanning van zijn lichaam af. Hij wist niet hoe ik hierop zou reageren. Ik wist het zelf niet eens. Maar de stem van de Dokter had een kalmerend effect. Ik hoorde de ondertoon van bezorgdheid in zijn stem en plots zag ik het lijk voor wat het was: een geschenk. Ik glimlachte hem toe.

'Ze hebben het beste van hun bezoek gemaakt, zie ik.'

Hij liet een opgeluchte lach horen en liep rond de tafel naar me toe. Hij overhandigde me de grote textielschaar die hij gebruikte om kledij weg te knippen.

'Aan jou de eer.'

De dissectie kon beginnen. Hij probeerde dit te behandelen als om het even welke zaak, maar we wisten beiden dat dat een leugen was. Ik zag hoe zijn ogen mijn handelingen nauwgezet volgden. Hij zou willen weten welke gruwelijke vorm mijn vergelding zou aannemen. Dat was uiteindelijk waarom hij de zoon van de drogist zo netjes op een dienblad had afgeleverd. Maar tegen alle verwachtingen in had ik daar geen behoefte aan. Hoe langer ik keek naar het lichaam op de tafel, hoe meer ik besefte dat het geen persoon meer was. Het was slechts een blok vlees, bot en orgaan. Althans, dat zou het zijn als ik ermee klaar was.

'Het spijt me dat ik je niet zelf wraak heb laten nemen. Dit leek me een veiliger alternatief.'

Zijn stem was zacht, verontschuldigend. Het voelde als een warme omarming.

'Dit is perfect. Bedankt.'

Ik glimlachte hem toe, om te laten zien dat ik het meende. Hij had me geen beter cadeau kunnen geven. Niemand had ooit een moord voor me gepleegd. Wat een prachtige, verwrongen liefdesbrief. Het paste bij ons.

Ik voerde de dissectie uit zoals ik er al vele had gedaan. De inspectie bracht al een waarschijnlijke doodsoorzaak naar voren. Er waren duidelijke striemen rond de nek zichtbaar, met uitgesproken puntbloedingen ter hoogte van het gezicht. Wurging of ophanging was het meest waarschijnlijk. Iets zei me dat de doodsoorzaak geen willekeurige beslissing was geweest. Ik bedacht me hoe zijn laatste momenten waren gepasseerd. De zekerheid dat het einde er was, dat hij nooit meer zuurstof door zijn luchtpijp zou voelen stromen. Zou hij geweten hebben waarvoor hij werd gestraft? Zou hij spijt hebben gehad? Voor mijn geestesoog zag ik mezelf met mijn handen rond zijn keel gesloten en heel even vond ik het toch jammer dat ik niet degene was die het leven uit zijn waardeloze lichaam had voelen wegglippen. Maar de Dokter had gelijk, dit was een beter alternatief.

Systematisch werkte ik me door de verschillende stappen. Spieren, zenuwen, bloedvaten en organen werden laag per laag blootgelegd en vervolgens doorgesneden om dieper te gaan. Ik verwijderde zijn organen met de precieze incisies die ik van de Dokter had opgepikt. Naarmate de tijd vorderde begon hij er steeds minder als een mens uit te zien. Ik besteedde extra aandacht aan zijn genitaliën, die ik mogelijk iets uitgebreider uit elkaar haalde dan ik normaal zou hebben gedaan. Zijn gezicht hield ik bewust voor het laatst. Ik wou hem aankijken wanneer ik het laatste van zijn identiteit weghaalde.

Mijn glimlach kwam terug toen ik de huid van het gezicht netjes aan het wegpellen was. Zijn vleesmasker werd afgestript alsof het niets was. Nu zag hij eruit zoals alle andere naamloze lijken die dokters als wij op onze tafel vonden. Nog een paar jaar en iedereen zou langzaam vergeten dat hij zelfs had bestaan. Want dat was mijn werkelijke wraak: vergetelheid.

Pas toen ik achteraf mijn handen aan het wassen was, vroeg ik me af wat er nu zou gebeuren met de overschotten van het lichaam. Bij de andere dissecties was ik er altijd van uitgegaan dat de mensen die het afgeleverd hadden het terug meenamen, want de lijken waren de ochtend erop altijd netjes weg. Ik vroeg het aan de Dokter.

'Deze resten gaan in mijn verbrandingsoven, achter in de kamer. Een vriend van me heeft die enkele jaren geleden geinstalleerd. Het werkt beter dan het systeem dat ik daarvoor had, laat ik je dat vertellen.'

Dus moesten we enkel wat bijeenschrapen, de oven opstoken en alles erin dumpen. De laatste resten van een mensenleven verdwenen. De hele ervaring liet me uitgeput en intens tevreden achter. Ik heb die middag twee uur geslapen in mijn gebruikelijke sofa, voor het eerst zonder nachtmerries.

Ik kan me voorstellen dat het voor een buitenstaander eigenaardig lijkt dat een jonge vrouw als ik zoveel genoegdoening kan halen uit een dissectie. Ik weet dat mijn omgeving het nooit heeft begrepen. Ik heb hun nooit kunnen uitleggen wat ik voelde toen ik mijn allereerste dissectie uitvoerde.

Elke zenuw die ik correct identificeerde, elk bloedvat dat ik blootlegde, gaf me een kleine stoot van opwinding. Ondanks het feit dat een menselijk lichaam er niet zo netjes uitziet als de gestructureerde tekeningen van de Dokter, vond ik erg veel terug van wat de professoren ons opdroegen.

Hier zat ik met mijn instrumenten een persoon uit elkaar te halen, iemand die ooit had rondgelopen en geleefd en liefgehad. Maar door een of andere banale ziekte of ongeluk was dat lichaam gestopt met werken en was deze persoon gereduceerd tot een lege schelp. Dat vond ik eindeloos fascinerend. De handen lieten zich nog manipuleren als er aan de spieren in de onderarm werd getrokken, de longen zwollen nog op als er lucht in werd geblazen, maar de hersenen konden niets meer doorgeven.

De meeste tijd besteedde ik aan de hersenen. Dit was het orgaan van waaruit alles vertrok. Hier zou volgens sommigen ook de ziel moeten liggen, al vond ik dat moeilijk te geloven. Na de dood was het brein slechts een klamme, slijmerige, grijze massa waar niet veel onderdelen aan te herkennen vielen. Dat hield me echter niet tegen om het te proberen. Ik was constant op zoek naar verschillen in de morfologie van breinen. Er moest toch ergens een antwoord liggen op de vraag waarom sommige mensen afwijken van de norm. Waarom vielen bepaalde mensen enkel op hun eigen geslacht, of hielden ze van pijn en vernedering? Waarom maakten sommige mannen de beslissing om een menselijk leven te nemen of om een vrouw te verkrachten? Wie ging er in de criminaliteit en wie leefde binnen de wet? Er moest ergens een organische oorzaak te vinden zijn.

In het begin van mijn studie dacht ik dat frenologie het antwoord zou kunnen geven. Het bestuderen van schedelknobbels leek me een goede manier om de morfologie van het brein te onderzoeken. Tot ik na een tijdje doorhad dat de knobbels helemaal niet overeenkwamen met het oppervlak van de hersenen zelf.

Een aantal jaren geleden hoorde ik dat een zekere dokter Caton erin was geslaagd om elektrische impulsen te detecteren aan de schedeloppervlakte van konijnen en apen. De impulsen veranderden gedurende de dag en stopten volledig na de dood. Zouden die impulsen van hun brein afkomstig geweest zijn? Zouden wij gelijkaardige impulsen hebben? Misschien dat we er ooit in zullen slagen om die impulsen te lezen als een kaart en zouden weten wat mensen dachten. Niets is onmogelijk voor wie genoeg fantasie heeft.

Vandaag heb ik helaas nog geen antwoorden gekregen op mijn vragen. Het brein van de zoon van de drogist was teleurstellend normaal. Hij had geen onderontwikkelde regio's, geen gezwellen of bloedingen. Niets om een verklaring te geven voor de persoon die hij was geworden. Waarschijnlijk zou ik nooit een antwoord vinden, maar dat weerhield me er niet van om ernaar te blijven zoeken.

Er zijn mensen die het leven als een cirkel beschouwen. Zij zeggen dat alles ooit terugkomt, als we maar lang genoeg wachten. Ik weet niet of ik het daarmee eens ben, maar wanneer ik naar mijn eigen leven kijk, zie ik inderdaad die cirkels. Jaren van gelukkig zijn, een moment van opschudding, maanden geplaagd door nachtmerries, gevolgd door opnieuw jaren van herstel en gelukkig proberen te zijn. Dit was slechts het zoveelste moment van opschudding. Maar deze keer had ik er vertrouwen in dat de nachtmerries zouden wegblijven. Ik had tenslotte het gezicht van mijn aanvaller weggenomen. Het bloederige masker dat achterblijft jaagt me geen schrik aan. Integendeel, het is de voorspelbaarheid van onze anatomie die me altijd weet gerust te stellen. Ik verkies dat rauwe gezicht boven het oorspronkelijke.

De vorige keer dat ik me zo klein voelde als nu heb ik die geruststelling niet kunnen krijgen. Het gezicht dat toen mijn nachtmerries veroorzaakte kwam me immers elke avond in-stoppen. De jaren dat ik onder de duim van mijn stiefvader leefde waren doordrongen van eenzaamheid. Mijn moeder zag niet – of wou niet zien – wat er aan de hand was en er was niemand anders aanwezig in ons kleine leventje. Ik heb nooit een woord gesproken over wat me overkomen is. Het was nu eenmaal de situatie waarin ik me bevond en hoe sneller ik daarmee leerde omgaan, hoe sterker ik zou worden.

Misschien was het anders geweest als iemand me in die tijd wel had opgemerkt. Iemand die me recht in de ogen had gekeken om me te zeggen dat het niet mijn schuld was. Dat dit misbruik niet mijn leven zou overnemen en dat ik ooit zou kunnen ontsnappen. Als er toen iemand was geweest die me had verteld dat ik het waard was om van te houden, had ik misschien die liefde ook kunnen beantwoorden.

Vele jaren later, in deze vochtige kelder, had ik wonderbaar-lijk genoeg wel die persoon. Tegenover me stond iemand die zonder een woord te zeggen liet weten dat hij alles voor me zou doen. Omdat het juist was. Omdat ik het verdiende. Maar diep vanbinnen weet ik dat het te laat is. In een wereld waar-in iedereen verandert, evolueert, verliefd wordt en kinderen krijgt, blijf ik onveranderlijk staan. Mijn hart blijft hetzelfde, mijn brein leert nieuwe dingen maar voelt niets nieuws. Ik ben gefixeerd in mijn onverschilligheid.

Maar de Dokter probeert. Ondanks mijn waarschuwingen, ondanks zijn eigen gezond verstand, probeert hij. Dat is wat me heeft overgehaald om eindelijk mijn verhaal te vertellen. Als er iemand is die zal kunnen luisteren zonder me te veroor-delen, is hij het.

Ik kan alleen maar opnieuw zeggen dat ik geprobeerd heb om iets van mijn leven te maken. Het heeft me niet tot een bijzonder aangenaam persoon gemaakt, maar ik heb mijn best gedaan.

Ik ben tenslotte ook maar sterfelijk.

13. Gebroken speelgoed

Er was in normale omstandigheden niet veel voor nodig om mijn nieuwsgierigheid te wekken. Net als de Studente heb ik de onbedwingbare drang om alles te weten en te begrijpen. Vele vriendschappen zijn al kapotgelopen door die eigenschap. Sommige dingen blijven best onuitgesproken.

In het geval van de Studente voelde ik echter aan dat mijn vragen uiteindelijk wel beantwoord zouden worden als ik maar geduldig was. Geduld is niet een van mijn vele talenten, dus ik zal niet doen alsof het gemakkelijk was. Ik kan ook niet oprecht zeggen dat ik echt bevredigd ben nu ik eindelijk mijn antwoorden heb gekregen. Niemand zou zich tevreden kunnen voelen bij een levensloop als die van de Studente.

Hoe moet je het leven van een persoon weergeven? Moeten we beginnen – zoals we instinctief aanvoelen – bij het moment dat alles veranderde? Maar wie beslist welk moment dat is? Moeten we in de plaats daarvan de chronologie eerbiedigen en starten bij de geboorte? Of zijn het de voorouders die we als eerste willen beschrijven? Ik laat mezelf wat dichterlijke vrijheid en start bij een zesjarig meisje dat haar armpjes uitstrekt naar haar vader om nog een verhaaltje te horen te krijgen.

De Studente was een gelukkig kind, dat ontkent ze zelf niet. Ze groeide op als de nieuwste aanwinst van een vooraanstaande familie. Haar moeder was onder haar stand getrouwd, maar haar vader had een respectabele positie in de politiek en zijn tekort aan geld werd hem vergeven. Haar paternale familie bestond stuk voor stuk uit mensen die zich wilden laten gelden in de maatschappij. Als dokter, parlementslid of advocaat maakten ze hun weg in de wereld. Ze gaven samen met hun ambitie ook hun liefde voor boeken door aan elke nieuwe generatie en zo ook aan de Studente.

De Studente hield het meest van boeken met tragische en grootse liefdesaffaires. Ze stelde zich voor dat ook zij een epische liefde zou beleven als ze groot was. Net zoals haar moeder, die haar familie had getrotseerd om te trouwen met haar vader. Als ze niet op schoot zat bij haar vader om verhalen te horen, was ze zelf bezig met het ontcijferen van al die vreemde tekens op het papier. Haar grootvader merkte haar scherpe geest op en leerde haar al snel zelf lezen en schrijven. Vanaf haar zesde verjaardag kreeg ze elk jaar een nieuw boek dat haar zou uitdagen. Dan kroop ze opnieuw op schoot bij haar vader, opdat hij bepaalde woorden kon uitleggen die ze nog niet begreep.

Ook al kon ze zelf goed lezen, ze hield ervan om voorgelezen te worden. Ze genoot van de cadans van een andere stem die verhalen spint en het langzaam in slaap vallen terwijl die verhalen bleven verder spelen in haar hoofd. Maar zoals we helaas al te goed weten, is het leven geen sprookje. Er gebeuren dingen die geen reden lijken te hebben en vaak sterven goede mensen veel te vroeg.

Dit is een ander moment waarop het verhaal van de Studente begint: een tienjarig meisje dat naast het bed van haar vader staat en aarzelend 'Papa?' fluistert. Er komt geen antwoord. Zijn ogen zullen niet meer opengaan. De pokken eisen een nieuw slachtoffer en een moeder komt alleen te staan met haar dochter.

Haar vader werd gestraft voor de zorgzaamheid die hij toonde voor zijn neefje dat aan het sterven was aan dezelfde pokken. Toen besloot de Studente dat ze nooit zichzelf in gevaar zou brengen voor iemand anders. Ze zou niemand achterlaten zoals haar vader hen had achtergelaten.

De dood van haar vader luidde een nieuwe periode in. Het leven werd kalmer. Er waren minder etentjes, er werden minder feestjes georganiseerd. Haar moeder werd elk jaar dat ze alleen doorbracht stiller. De Studente lachte minder, ze vroeg aan niemand meer om haar voor te lezen. Ze liep minder met haar hoofd in de wolken en begon na te denken over haar toekomst.

Haar grootvader, die zijn zoon was verloren, was altijd in de buurt om tijd met zijn kleindochter te spenderen. Hij vertelde dan over de patiënten die hij die dag had gezien, over de levens die hij had gered of niet had kunnen redden. Dat werden de nieuwe verhalen waar de Studente aandachtig naar luisterde. Ze stelde zich dan voor dat ze zelf de beslissingen nam die het leven of de dood van een patiënt betekenden en hoe iedereen naar haar zou luisteren.

Toen ze elf was bekende ze aan haar grootvader dat ze ook dokter wou worden, net als hij. Ze zal nooit zijn gezicht vergeten. Hij wou trots zijn, maar in zijn glimlach scheen enkel melancholie door.

'Lieve schat, als er iemand is die kan worden wat ze wilt, ben jij het. Maar het is niet gemakkelijk voor een vrouw om dokter te worden. Onze samenleving aanvaardt dat niet.'

Ze had hem verbaasd aangekeken. De Studente had haar hele leven van mensen gehoord dat ze slim was en dat ze grootse dingen zou doen. Dit was het eerste moment dat ze besefte dat haar geslacht in de weg zou staan van die grootse dingen. Haar grootvader haatte de les die hij die dag onbedoeld aan zijn kleindochter had gegeven. Toen hij het daaropvolgende jaar een essay tegenkwam dat argumenteerde voor vrouwen in de geneeskunde, gaf hij het aan haar.

'Dit is geschreven door een vrouw die net als jij probeert om dokter te worden. Ik heb haar ontmoet, ze is een vurige dame. Misschien zal zij erin slagen om het systeem te veranderen.'

Op dat moment was echter nog geen sprake van een opleiding voor vrouwen. Maar de woorden van deze vrouw zouden de Studente blijven inspireren. Ze was niet alleen en ze zou niet opgeven. Ze hoorde verhalen van vrouwen die zich hadden voorgedaan als man om hun opleiding te kunnen starten. Anderen hadden hun diploma in het buitenland behaald, ergens waar de maatschappij verder stond dan in het conservatieve Engeland. Deze vrouwen werden rolmodellen voor de Studente. Zodra ze oud genoeg was, zou ze ook haar diploma behalen en arts worden. Of het nu in Engeland was of aan de andere kant van de wereld.

De Studente vertoonde op die leeftijd al het obsessieve karakter dat ik later zou leren kennen. Ze kon zich enkele dagen bezig houden met één leerboek, vastbesloten om het van begin tot einde te bestuderen. Op zulke momenten was het haar moeder die erop stond dat ze ook nog contact zocht met mensen. Daar zag de Studente het nut niet van in. Andere kinderen waren zo traag en ze praatten enkel over saaie dingen. Waarom zou ze met hen willen spelen? Ze verlangde naar de dag dat ze enkel omringd zou zijn door mensen die even gepassioneerd waren door geneeskunde als zij. Maar in de tussentijd luisterde ze naar haar moeder en sprak ze af met leeftijdsgenootjes. Later pas besefte ze dat ze dankzij haar moeder niet veel vroeger alle linken met de werkelijkheid had verloren. Passie hebben is belangrijk, maar de noodzaak van sociaal contact heeft ze pas ontdekt toen ze ouder was.

Op dertienjarige leeftijd zag de Studente haar leven opnieuw veranderen. Haar grootvader werd ziek. Hij kon niet meer langskomen en ondanks haar sporadische bezoekjes voelde ze hem langzaam verdwijnen uit haar leven. In diezelfde periode kwam haar moeder met een nieuwe man naar huis. Deze keer iemand die wel was goedgekeurd door haar familie. Drie maanden later was hij haar stiefvader.

Toen begonnen de veranderingen pas echt. Ze verhuisden naar zijn huis op het platteland, waar zijn voorvaderen ook stuk voor stuk hadden gewoond en waren gestorven. Het was een grote en kille woning. De Studente haatte het daar. Ze miste Londen en de diversiteit die de stad te bieden had.

Daarvoor had religie nooit een grote rol in hun leven gespeeld, maar nu werd verwacht dat zij en haar moeder zich bekeerden tot het katholicisme. Zo kwam het dat hun kleine gezinnetje niet enkel een nieuwe papa erbij kreeg, maar op de koop toe een almachtige vader, zoon en heilige geest. De Studente was hier instinctief tegen, maar de bevelen van haar stiefvader konden niet genegeerd worden.

Ze was bang van hem, van de amper verhulde kracht die hij vertoonde als hij kwaad werd. Maar ze zag hoe haar moeder weer bijna haar oude zelf was, hoe ze opnieuw etentjes organiseerde waar ze vrolijk pratend rondliep. Dat was de voornaamste reden dat ze haar angsten met niemand deelde. De Studente hield haar mond en gedroeg zich in het bijzijn van haar stiefvader als een vroom meisje.

Aangezien de Studente nooit een katholieke opleiding had genoten, vond haar stiefvader het essentieel dat ze bijbellessen zou volgen om die achterstand in te halen. En wie was er beter gekwalificeerd dan hijzelf? Zo kwam het dat de Studente tweemaal per week naar de bureaukamer van haar stiefvader werd geroepen. Ze haatte de lessen. Hoe meer ze leerde over religie, hoe minder ze het eens was met wat er geschreven stond. Maar ze leerde erg snel dat tegenspreken resulteerde in een blauwe plek en opnieuw hield ze haar mond.

Omdat ze een goede student was, moest ze de rest van de week niet veel tijd spenderen aan haar lessen om bij te blijven. Ze las liever haar eigen boeken en bleef medische teksten bestuderen. Af en toe onderbrak hij die activiteit met vragen over materie uit de Bijbel. Ze antwoordde steevast juist, wat hem enkel kwader maakte. Hij heeft het nooit kunnen verkroppen dat ze intelligenter was dan hij.

In dat eerste jaar werd al snel duidelijk dat haar stiefvader niet achter haar plan stond om geneeskunde te gaan studeren. Sterker nog, hij beschouwde het als zondig dat een vrouw een beroep zou willen uitoefenen. Haar taak bestond erin uitgehuwelijkt te worden, zodat ze de familie kon dienen. Familie was het enige dat belangrijk was in deze wereld, vertelde hij haar. Enkel de stille aanmoedigingen van haar moeder deden haar geloven dat haar droom nog niet dood was.

Haar stiefvader was een jaloerse man. Die jaloezie kwam nog sterker naar boven als hij gedronken had – wat meestal het geval was. Hij beschouwde de Studente en haar moeder als zijn eigendom. Naarmate de maanden verstreken begon hij hun vrijheid steeds meer in te perken. Een jaar nadat hij in hun leven was gekomen, merkte de Studente dat haar leefwereld was vernauwd tot het huis waar ze tegen wil en dank haar thuis van had gemaakt. Haar grootvader was gestorven, alleen in zijn huis, want er was geen familie die nog naar hem omkeek. Zijn dood brak het laatste beetje verzet in de Studente. Ze gaf toe aan de eenzaamheid en de isolatie. Dat deed haar moeder tenslotte ook.

Dat was ook de periode waarin haar lichaam begon te veranderen. Ze merkte het als ze zich 's avonds klaarmaakte voor bed of een bad nam. Er begon zich eindelijk een vrouwelijke vorm af te tekenen in haar meisjeslichaam. Niet lang daarna begonnen haar maandelijkse bloedingen, een fenomeen dat ze zelf niet volledig begreep maar waar haar moeder erg blij mee leek te zijn. De Studente deelde die blijdschap dan maar. Ze kon niet wachten tot ze groot was, want dan zou ze eindelijk op eigen benen kunnen staan. Maar zij was niet de enige die de veranderingen had opgemerkt. Ze begon blikken op te vangen van haar stiefvader die haar ongemakkelijk maakten. Ze kon het niet in woorden omzetten, maar de spanning was voelbaar. Haar moeder leek er niets van te merken.

Daarna begonnen haar bijbellessen te veranderen. Als haar stiefvader wat te veel had gedronken, gaf hij de vreemdste bevelen. Ze mocht bijvoorbeeld niet meer op een stoel zitten, maar moest op de grond aan zijn voeten blijven. Dat was haar plaats, vertelde hij haar. Ze was het niet waard om te zitten zoals de volwassenen. Als ze dan een bepaalde passage niet correct uit het hoofd had geleerd, moest ze haar handen voor zich houden en gaf hij haar stokslagen.

Hij hield ervan om haar te vernederen. Om haar in posities te dwingen die haar gewrichten deden protesteren en haar dan gebeden te laten opzeggen. Voor hem was dat een gepaste straf voor het meisje dat zondige gedachten deed ontstaan in zijn hoofd. Soms mocht ze geen kleren aan tijdens hun lessen, omdat ze die alleen maar zou vuilmaken. Hij bekeek haar dan schaamteloos, maar raakte haar met geen vinger aan. Ze zou hem tenslotte enkel bezoedelen. Als ze durfde te protesteren, dreigde hij om haar moeder iets aan te doen. Om haar eens goed in elkaar te slaan en het meisje te laten toekijken. De gedachte aan haar arme moeder op de grond, wenend en bloedend, was het enige dat haar deed meewerken.

Uiteindelijk verloor ze aan hem haar maagdelijkheid. In een dronken woedeaanval had hij haar vastgepind tegen de grond en haar zonder pardon genomen. Ze was vijftien. Het was pijnlijk en droog, twee dingen die ze begon te associëren met elk lichamelijk contact.

Buiten hun bijbellessen ging hij nooit zo ver dat haar moeder zou ingrijpen. Hij commandeerde haar en dicteerde de meeste aspecten van haar leven, maar de echte vernederingen hield hij geheim.

Zo groeide de Studente op: met bijbellessen en medische teksten. Hoewel ze haar lichaam geregeld ter beschikking moest stellen, heeft ze nooit haar geest opgegeven. Met elk bevel en elke mep die ze van hem kreeg, groeide haar haat en verzet. Toen ze zeventien was, werd in Londen de school geopend waar ze later naartoe zou gaan. Hierdoor begon ze met hernieuwde moed haar campagne om te kunnen gaan studeren. Haar stiefvader was nog altijd een fervent tegenstander, maar haar moeder steunde haar nu openlijk.

Het duurde meer dan twee jaar, maar nadat de wet werd gestemd waardoor ook vrouwen een medisch beroep mogen uitoefenen, wist ze haar stiefvader te overtuigen. De sociale kring waarin hij vertoefde steunde de wet en hij zag er voordeel in een dochter te hebben die zich op zo'n manier kon vestigen in de maatschappij. Hij liet zelfs toe dat ze voor de duur van haar studie in Londen verbleef. Zijn enige voorwaarde was dat ze na haar studies terug zou keren naar het platteland om daar te werken en te trouwen met de man die haar stiefvader zou uitkiezen. Ze stemde hier netjes mee in, wetende dat ze de binnenkant van dat huis nooit meer zou zien, althans niet levend.

De Studente startte op negentienjarige leeftijd met haar opleiding en trok in bij de familie van haar moeder in Londen. Voor het eerst in zes jaar was ze verlost van haar stiefvader en zag haar toekomst er niet grijs en troosteloos uit. Ze zou dokter kunnen worden. Ze zou nooit meer een bijbelles moeten volgen.

Maar ze kon niet aan al haar demonen ontsnappen. Haar stiefvader had haar genomen alsof ze een stuk speelgoed was en had haar gebroken achtergelaten. Ze mocht er misschien nog uitzien als een normaal meisje, zelf wist ze dat ze dat nooit meer zou zijn. Het had echter nog erger kunnen aflopen als ze Anna niet was tegengekomen. Zij luidde alweer een nieuwe periode in het leven van de Studente in. Het sterrenmeisje had haar intrede gemaakt.

14. Sterrenmeisje

Het essentiële kenmerk van homoseksuele gevoelens als abnormale congenitale manifestatie is het gebrek aan seksuele sensibiliteit voor het andere geslacht, tot het punt van horror, terwijl er wel een seksuele inclinatie en impuls aanwezig is voor hetzelfde geslacht. De genitaliën zijn normaal ontwikkeld, de seksuele klieren functioneren adequaat en het seksuele type is volledig gedifferentieerd.

Gevoel, gedachte, wil en karakter komen overeen met dit eigenaardige seksuele instinct maar niet met het geslacht dat het individu anatomisch en fysiologisch vertegenwoordigt. Dit abnormale gevoel kan frequent herkend worden door de kledij en het voorkomen van deze individuen en kan soms zo ver gaan dat ze zich volledig kleden als de seksuele rol waarin ze zich thuis voelen.

- Psychopathia sexualis [8]

Gisterenavond heb ik de Dokter over mijn jeugd verteld. Misschien omdat ik het al duizenden keren in mijn hoofd had gedaan toen hij nog slechts een anatomist voor me was. Of misschien omdat hij heeft bewezen hoe ver hij wilt gaan voor mij. In ieder geval lijkt het in dit harde ochtendlicht niet correct dat de Dokter enkel het eerste deel van mijn levensverhaal te horen kreeg. De start van opleiding is waar mijn leven pas begon.

Het is echter fout om te denken dat ik terug het zorgeloze kind werd dat ik vroeger was. Daarvoor was er te veel veranderd – was ík te veel veranderd. Toch heb ik mijn uiterste best gedaan om alles wat er was gebeurd weg te steken. Ik wou er niet meer aan denken en gewoon mijn leven laten verdergaan alsof de afgelopen zes jaar nooit gebeurd waren. Het was een teken van zwakte om te laten zien aan de buitenwereld hoezeer mijn stiefvader me had veranderd. En ik had mezelf beloofd dat ik boven alles sterk zou zijn.

In de praktijk was dat niet zo gemakkelijk. Kleine voorvallen konden me terugvoeren naar een bepaald moment en dan wist ik even niet meer waar ik was. Mijn medestudenten en professoren merkten mijn vreemde gedrag op, maar stelden geen vragen. Misschien voelden ze aan dat het antwoord hen niet zou aanstaan. 's Nachts werd ik geplaagd door nachtmerries en werd ik met bonkend hart wakker, ervan overtuigd dat ik de deur van mijn slaapkamer had horen opengaan.

Mijn lessen hielden me gelukkig voldoende bezig, zeker in het begin. Voor het eerst kon ik iemand horen vertellen wat ik al die jaren had gelezen en kwam ik in contact met jonge vrouwen die dezelfde passie hadden voor het vak als ik. Ik kreeg les van de eerste generatie vrouwelijke dokters: Elizabeth Blackwell, die enkel was toegelaten in een Amerikaanse universiteit omdat haar mannelijke medestudenten erom hadden mogen stemmen en dachten dat het een grap was, Sophia Jex-Blake, die zichzelf niet populair maakte met haar beruchte woede-uitbarstingen en bovendien aanleiding gaf tot veel roddels door haar relatie met een andere vrouwelijke dokter. Zij vormden mijn beeld van wat de geneeskunde kon zijn, als we erin slaagden om het patriarchale systeem te doorbreken. Zij inspireerden me op dagen dat ik moeite had om uit bed te komen.

Die eerste maanden waren een constante strijd. Alles in me smeekte om op de achtergrond te blijven, om stil en onzichtbaar te zijn. Jaren van ervaring hadden me geleerd dat dat de veiligste optie was. Maar ik ben altijd al koppig geweest en mijn ambitieuze kant weigerde om zo snel op te geven. Ik was hier om dokter te worden en dat betekende dat ik mijn mond moest opentrekken.

De toewijding die ik had voor mijn studies werd al snel opgemerkt door mijn leerkrachten en gaf me een reputatie. Medestudenten vroegen dingen aan mij als ze het antwoord niet wisten. Studeergroepjes betrokken mij in de hoop om meer te bereiken.

Zonder dat het mijn bedoeling was, werd ik populair. Pas later begon ik in te zien hoe ik dat zelf kon beïnvloeden. Ik leerde mijn eigen onafhankelijkheid kennen en merkte voor het eerst dat men reageerde op wat ik deed, want blijkbaar kregen mooie mensen meer gedaan. Iedereen leek me instinctief te vertrouwen, ze bestempelden me als slimmer dan zij en vertrouwden op mijn oordeel. Het gaf me een gevoel van controle dat ik al die jaren had gemist.

Niemand leek zich af te vragen waarom ze me nooit buiten de universiteit zagen. Ze accepteerden allemaal dat ik sociaal niet erg actief was en hielden hun afstand. Het werkte perfect voor me en ik voelde me langzaam groeien naar de persoon die ik had moeten zijn. In dat eerste jaar was ik er nog van overtuigd dat ik die persoon kon worden. Dat ze nog niet helemaal verstikt was. Die hoop was de schuld van één specifiek iemand.

Anna was een erg knappe vrouw, die zelf geen gebrek aan aandacht had. Getrouwd met een apotheker, stond ze in haar omgeving bekend als de vrouw waar iedereen naartoe kon gaan voor gratis medisch advies. Haar man steunde haar in haar ambities om dokter te worden. Ze was vierentwintig toen ze aan haar opleiding begon, in het jaar dat de school werd opgericht. Toen ik haar leerde kennen zat ze in haar derde jaar. Er was geen enkele reden waarom deze vrouw tijd zou willen besteden aan een eerstejaarsstudente, en toch leek ze altijd bij mij in de buurt te zijn.

Ze had klaarblijkelijk besloten dat zij degene zou zijn die me uit mijn isolement zou halen. Ze dook op na mijn lessen om een praatje te doen, ze kwam naast me zitten in de bibliotheek als ik probeerde te studeren en ze vond me telkens als ik aan het lunchen was. Maar meer dan haar constante aanwezigheid, was het de zachtheid waarmee ze me behandelde die me overhaalde. Het was zo lang geleden dat ik zacht was behandeld.

Anna was de eerste persoon waar ik een oprechte vriendschappelijke relatie mee ontwikkelde. Ze was intelligent en grappig en bezat een veel groter hart dan ik ooit heb gehad. Algauw spendeerde ik alle tijd die ik niet achter mijn studieboeken doorbracht met haar. Als het donker werd, hadden we de gewoonte om in St. George's Gardens op onze rug in het gras te gaan liggen en te kijken naar de sterren. Dan wees Anna een bepaalde constellatie aan en vertelde me welke vorm ze erin zag. Aan mij vroeg ze dan om er een verhaaltje bij te verzinnen.

Op een van de laatste warme avonden van het jaar lagen we weer naar de sterren te kijken. Anna wees me op een grote groep die haar deed denken aan een dansend meisje, haar armen boven het hoofd uitgestrekt. Ik lag bijzonder comfortabel op het warme gras en mijn hoofd voelde licht en leeg aan. Met slaperige stem begon ik te vertellen over het meisje in de lucht, hoe ze opgroeide als danseresje. Ze danste zo mooi en vol passie dat iedereen die naar haar keek zich achteraf net iets gelukkiger voelde. Algauw werd ze gevraagd om bij een dansgroep te gaan, zodat ze de hele wereld kon rondreizen en voor mensen kon dansen. Ze was nooit gelukkiger geweest. Op een avond kwam er een rijke man kijken die haar zag dansen en meteen verliefd werd. Hij was het soort man dat schoonheid moet bezitten, dus kocht hij het meisje van de dansgroep en nam haar mee naar zijn huis. Ze kreeg alles wat ze maar wensen kon, zolang ze elke avond voor hem danste en het huis niet verliet. Dat was echter niet genoeg voor het meisje dat haar hele leven al danste voor zoveel mensen. Ze kwijnde weg, voelde haar lichaam achteruitgaan tot ze niet meer kon dansen. Ze smeekte hem om haar te laten gaan, maar hij weigerde te begrijpen dat ze bij hem geen thuis kon vinden. Op een ochtend vond iemand het meisje in haar kamer, hangend aan een balk. De man was vervuld van spijt, maar het was te laat. Ze zou nooit meer dansen. Toen hij die avond naar de sterren keek, zag hij dat dat niet waar was. De goden hadden het meisje in hun armen genomen en haar vereeuwigd aan de hemel. Daar was ze eindelijk vrij, dansend voor altijd.

Ik voelde de brandende blik van Anna op me terwijl ik praatte. Toen ik uitgesproken was rolde ze zich op haar buik om me recht in de ogen te kunnen kijken.

'Is dat hoe jij over jezelf denkt?'

'Wat bedoel je?'

'Als iemand die wordt vastgehouden tegen haar wil.'

Ik deed haar intense toon af met een lach.

'Anna, het was maar een verhaal. Jij kwam met het dansend meisje.'

'En jij kwam met het zelfmoordverhaal.'

Haar blik verzachtte meteen na die opmerking, als bij een dier dat ze niet wou afschrikken.

'Luister, ik kan zien dat je pijn hebt en ik weet dat je er niet over wilt praten. Ik vraag je ook niet om me te vertellen wat het is. Ik vraag enkel hoeveel pijn je hebt.'

'Ik ben niet van plan om mijn eigen leven te nemen, als je dat bedoelt. En waar je het over hebt is al lang voorbij. Dat hoort niet meer bij de persoon die ik nu ben.'

Ik zag dat ze me niet geloofde, maar in plaats van verder te vragen legde ze simpelweg haar hoofd op mijn borstkas. Het was zo'n intiem gebaar van acceptatie dat ik niet goed wist hoe ik ermee moest omgaan. Ik was het niet gewoon om liefde te ontvangen van iemand waarmee ik niet door bloed verbonden was. Die avond ben ik op het gras in slaap gevallen, met mijn hand in haar haren en mijn hoofd rustiger dan het lange tijd was geweest. Vanaf dan werd ze in gedachten mijn sterrenmeisje en veroverde ze een plaatsje in mijn hart. Helaas kon het nooit mijn plaats in haar hart evenaren.

Er waren dingen over Anna die ik toen nog niet begreep. Ik had het grootste deel van mijn adolescentie in afzondering doorgebracht, dus veel van de stad en diens inwoners was me vreemd. Toen ik Anna enkele maanden kende, begon ze me mee te nemen naar haar vrienden. Het was alsof ik een onzichtbare grens was gepasseerd en zonder meer geaccepteerd werd door deze groep mensen. Ze ontmoetten elkaar vaak, telkens in dezelfde pub die altijd even gevuld was met kleurrijke figuren. Iedereen leek elkaar te kennen en iedereen sprong vriendschappelijk met elkaar om. Het was pas toen ik in een donker hoekje twee mannen intens verstrengeld zag, dat ik begreep wat voor soort plaats dit was. Anna zag me kijken en schoof haar stoel dichter naar me toe. Ik merkte niet hoe dicht ze plots zat, zo gefascineerd was ik door het tafereel voor me.

'Je doet alsof je nog nooit twee mensen hebt zien kussen.'
Ik draaide me naar haar toe en zag haar guitige glimlach. Op dat moment was het alsof de puzzelstukjes op hun plaats vielen. Plots begreep ik de moeite die Anna in me stak, haar tedere aanrakingen en haar zachte woorden. Misschien had ik ontstelder moeten zijn. Maar op dat moment was alles zo helder dat ik het enige deed wat ik kon doen: ik kuste haar. Ze reageerde alsof ze niets anders had verwacht en kuste gewoon terug.

Ik hoorde op de achtergrond wat tumult van haar vrienden, geen van allen verrast om wat er gebeurde. Maar daar kon ik geen aandacht aan besteden. Ik was te druk bezig met het ontdekken van deze nieuwe soort liefde. Dit was juist en het was prachtig. Het was alles wat ik niet had ervaren met mijn stiefvader.

Het duurde niet lang voor Anna me ook meenam naar haar bed. Seks met haar was een en al zachtheid, want we lieten ons geen van beiden overweldigen door opwinding zoals mannen dat doen. Die eerste keer overviel me een enorm gevoel van verwondering. Er was nog zoveel te leren, een nieuwe wereld waarvan ik het bestaan niet had vermoed.

Intimiteit was moeilijk voor me in het begin. Ik kromp in elkaar telkens wanneer Anna me aanraakte en kon me niet uitkleden zonder de primordiale angst te voelen die voor mij altijd met seks verbonden was geweest. Maar ze was geduldig. Ze wou me niet controleren. In plaats daarvan gaf ze zichzelf aan mij over, liet ze me doen waar ik zin in had.

Het was een tijd van ontdekken en leren. Ik leerde genieten van mijn uiterlijk en het effect dat ik had op anderen. Ik beschouwde mijn vrouwelijkheid niet meer als een straf, maar als iets dat ik kon delen. Anna's vriendengroep had een nogal open attitude tegenover seks en daarin voelde ik me ook al snel thuis. Maar zij was degene waar ik naar terugging. Mijn partner, in alle betekenissen van het woord.

Het ging zelfs zo ver dat ik haar man leerde kennen. Hij kende de voorkeuren van zijn vrouw en ze hadden een huwelijk dat meer op wederzijds respect en vriendschap dan op aantrekkingskracht was gebaseerd. Ik vroeg me af of ik later in een gelijkaardige situatie zou belanden. Als ik bij hen kwam eten, keek ik graag naar de manier waarop ze met elkaar omgingen. Ze waren beste vrienden, een eenheid, en ze hadden beiden geaccepteerd dat dat genoeg was. Zou het voor mij ook genoeg zijn?

Het moment dat mijn seksuele leefwereld begon te groeien, was het alsof er een deur was opengegaan in mijn geest die allerlei verlangens had doorgelaten. Plots waren er zoveel mogelijkheden, zoveel vormen van intimiteit die ik nog nooit had overwogen.

Mijn nieuwgevonden macht begon een bepaalde vorm te krijgen, die zachtjes werd aangepord door Anna. Eerst spoorde ze me aan om meer de leiding te nemen in bed, te doen wat ik leuk vond, onafhankelijk van haar verlangens. Ze had de gewoonte om bepaalde fantasieën in mijn oor te fluisteren terwijl ik haar vastgepind had op bed, om me ervan te overtuigen haar gewoon te nemen.

Bepaalde dagdagelijkse voorwerpen begonnen een functie te krijgen in ons spel, zoals touw en langwerpige keukeninstrumenten. Ik bond Anna vast, knevelde haar en dwong haar in posities die ik graag zag. Ze was nog mooier met een kriskras van touwen over haar lichaam gespannen. De gebogen lijn van haar hals terwijl ze zich onderdanig aan me opstelde werkte hypnotiserend. Zij werd het object waar ik al mijn we-

tenschappelijke en minder wetenschappelijke nieuwsgierigheid op kon loslaten.

Ik heb veel over mezelf geleerd in de jaren die volgden. Ik
ontdekte dat ik het gelukkigst was wanneer iemand zich aan
me onderwierp. Dat ik onder de juiste omstandigheden kon
genieten van seks met zowel vrouwen als mannen. Maar dat
er toch niets mooiers was dan in de ogen te kijken van een
prachtige vrouw die op jouw hand klaarkwam.

Langzaamaan werd ik bedrevener in de subtiele kunsten
van het domineren. Ik ondervond hoe belangrijk het was om
het hoofd koel te houden en me niet te laten leiden door opwinding. Hoe fijn de lijn is tussen pijn en genot. We leerden
elkaar kennen op manieren die sommige mensen nooit ontdekken. Soms voelde ik me als Juliette, die in de verdorven
wereld van Markies de Sade floreerde als nooit tevoren.

In onze maatschappij worden liefdesrelaties met hetzelfde geslacht niet openlijk aanvaard. Het is strafbaar en er mag niet over
worden gesproken. Maar naarmate ik bekender werd met deze
nieuwe wereld merkte ik dat veel oogluikend werd toegelaten.
De meeste mensen hadden wel een vermoeden wie geïnverteerd
was, maar daar werd doorgaans niets mee gedaan. Velen gingen
er gewoon van uit dat het niet hun zaken waren. Pas als het te
dicht bij hun leefwereld kwam, begonnen ze te protesteren.

Ik kan dus niet zeggen dat ik persoonlijk onaangename ervaringen heb gehad met mijn seksuele voorkeuren. Het is voor
mij nooit een bron van angst of schuldgevoel geweest, eerder
een ontsnapping aan het alledaagse, aan de normaliteit. Mijn
eerste keer met een vrouw voelde als een overwinning. Het
was mede mijn seksualiteit die me onderscheidde van de grijze
massa en dat maakte me trots.

Veel mensen hebben het moeilijker dan ik. Die hebben nooit hun seksualiteit kunnen ontdekken en gaan angstig door het leven. Zij zullen nooit vrij zijn omdat ze zichzelf niet verliefd laten worden. Hun maskers worden krampachtig op hun plaats gehouden, uit schrik dat ze ooit aan iemand hun ware aard zouden laten zien.

Dit zijn zaken waar we ons niet zomaar bij mogen neerleggen, net als de vrouwen die hun hele leven hebben gestreden om toegelaten te worden in het medisch beroep. Zolang we blijven proberen, ben ik ervan overtuigd dat we ooit een maatschappij kunnen maken waarin twee vrouwen kunnen samenwonen en trouwen voor de wet.

Maar we zullen ons nooit kunnen losmaken van het masker dat we opzetten. We zijn allemaal bang dat onze ware aard te lelijk is om te laten zien. Ook ik speel een rol, al probeer ik mezelf ervan te overtuigen dat ik het doe om de rest om de tuin te leiden. Ontkenning is immers een van onze overlevingsmechanismen.

Op de momenten dat de angst me dan toch terugtrok naar het verleden en de bijbellessen wist Anna me steevast terug te lokken met haar tedere onderdanigheid. Ze vroeg nooit naar wat me was overkomen. Ze was er gewoon voor me en voelde feilloos aan hoe ze me kon helpen. Het was die eigenschap die zo'n goede dokter van haar maakte.

Anna is ondertussen afgestudeerd en werkt weer in de apotheek van haar man, nu als volwaardig dokter. Ze staat bekend voor haar empathie, haar vermogen om mensen te begrijpen in één oogopslag. Ik ben lang jaloers geweest op het gemak waarmee ze dat leek te doen. Voor mij is het moeilijker om mezelf in het lijden van een ander persoon in te leven. Mijn hele wezen vecht ertegen om de pijn van iemand anders op mij te nemen. Dat is niet hoe ik in elkaar zit.

Door te zien hoe vrij Anna met haar liefde was en hoe gemakkelijk ze mensen toeliet in haar hart, begon ik te begrijpen dat er iets in mij onherroepelijk gebroken was. Ongeveer anderhalf jaar nadat ik Anna had leren kennen, werd ik nogmaals pijnlijk op die feiten gedrukt. We lagen samen in bed, beiden te loom om recht te staan en terug te keren naar onze dagelijkse levens. Ik was zachtjes haar polsen aan het masseren om de afdrukken van de touwen die we hadden gebruikt weg te krijgen. Zij draaide haar hoofd naar me toe en ik voelde haar ogen op me.

'Ik wil je iets vertellen.'

'Vertel maar,' zei ik met mijn ogen halfgesloten en een tevreden glimlach.

'Ik hou van je.'

De glimlach viel meteen van mijn gezicht. Die vier woorden waren genoeg om me helemaal van mijn stuk te brengen. Mijn vingers stilden op haar polsen en ik voelde een druk achter mijn ogen. Ondertussen wachtte Anna op een antwoord.

'Ik weet niet goed wat ik daarop moet zeggen,' zei ik uiteindelijk voorzichtig.

'Dat je je hetzelfde voelt, zou een goed begin zijn.'

Ze had weer die guitige glimlach op haar gezicht waar ik bij onze allereerste kus niet aan had kunnen weerstaan, maar deze keer deed de aanblik me pijn. Ik zag de onzekerheid onder haar glimlach en ik wist dat ze wou dat ik loog, liever dan te bekennen dat ik niet hetzelfde voelde.

'Anna… Dat kan ik niet, sorry.'

Ze duwde zich van me af en keek een lang moment in mijn ogen, zoekend naar iets dat ze waarschijnlijk niet vond.

Vervolgens begon ze haar kleren aan te trekken, haar rug een gespannen lijn. Ze ging weg zonder iets te zeggen en ik voelde me een onhandig kind dat iets kostbaars tegen de grond had gesmeten.

Die avond stelde ik mezelf opnieuw de vraag. Was ik verliefd op Anna? Ik herlas fragmenten van mijn oude lievelingsboeken, op zoek naar een antwoord. Voelde ik voor Anna wat deze personages voor elkaar voelden? De woorden leken leger dan ooit. En ik wist dat het voor mij niet erg zou zijn als Anna morgen weg was. Ik zou verder gaan met mijn leven, weliswaar met heimwee naar de seks en de goede gesprekken, maar ik zou gewoon verdergaan.

Dat was het enige antwoord dat ik nodig had. Als ik me voorstelde dat ik verliefd zou worden op iemand, werd ik daar onpasselijk van. Het idee dat ik me zo zwak zou opstellen was beangstigend. Het leek erop dat mijn stiefvader wel degelijk zijn sporen op mijn geest had achtergelaten, hoezeer ik ook mijn best had gedaan om dat te vermijden. Die sporen kon zelfs Anna niet uitwissen.

Het bleef drie dagen stil en toen stond ze me plots op te wachten na mijn les om te verkondigen dat ze niet van plan was om onze relatie op te geven.

'Als je ermee wil stoppen, zal je zelf weg moeten gaan. Want ik ga nergens naartoe.'

Ik had me op veel voorbereid, maar dat zag ik niet aankomen. Ik was blij dat ik geen afscheid zou moeten nemen van Anna, al voelde het wel als een vergiftigd geschenk.

Ons leven ging gewoon verder na dat gesprek, maar ik bespeurde een duidelijke verschuiving. Anna was zich langzaam emotioneel aan het terugtrekken en daar was ik blij om. Het verminderde mijn schuldgevoel en ik hield mezelf voor dat als ze iemand anders leerde kennen, ik niet in haar weg zou staan. Ze verdiende het om gelukkig te zijn.

Ik heb nooit spijt gehad van wat ik met Anna heb opgebouwd. Al zullen mijn barsten nooit helemaal weggaan, ze heeft me het gevoel gegeven dat ik een persoon was. Anna is een deel van mijn verhaal geworden en ik van dat van haar. Daarvoor ben ik haar dankbaar.

15. Resurrectie

Zoals de Studente opmerkte, zijn er vaak patronen terug te vinden in een mensenleven. We zoeken het niet op, streven er niet naar, maar het lijkt ons altijd te vinden. Het verhaal van de Studente was nog niet afgelopen en toch vertoonde het al die poëtische eigenschappen. Ik kon het duidelijk zien: het meisje dat ze had kunnen zijn en de vrouw die ze is geworden. Twee compleet andere mensen en toch een en dezelfde. Het fascineerde me. Net zoals de paradox van Anna me fascineerde. Het was duidelijk dat ze om Anna gaf. Het schrijfsel waarin ze haar sterrenmeisje beschreef was het eerste waarin ik oprechte emoties bespeurde. De vraag is waarom dat niet genoeg was. Is het omdat ze werkelijk niet meer in staat is tot liefhebben? Of is het omdat ze te bang is om van iemand te houden? Dat is een vraag voor een ander soort dokter dan ikzelf. Ik vroeg haar de volgende dag hoe ze haar relatie met Anna zag verlopen. Haar glimlach en antwoord waren melancholisch.

'Onze relatie is nooit iets permanents geweest. Ik weet niet hoe lang het nog zal duren, maar eindigen zal het zeker.'

'Waarom zou het moeten eindigen als Anna zelf niet weggaat?'

'Eindes zijn onvermijdelijk en dat weet u ook. Er zal een moment komen dat ik Anna's liefde en geduld niet meer kan verdragen. Ik weet niet wanneer, maar ik denk niet dat het nog lang zal duren. Ik ben een verloren zaak, ziet u. Ik zal nooit meer de persoon kunnen zijn die ik was voor mijn vijftiende en dat wil ik ook niet. Mijn kans op een normale relatie scheurde samen met mijn maagdenvlies.'

Ze had zich werkelijk bij haar lot neergelegd. Ze had het in haar hoofd gestoken dat ze van niemand kon houden. Ik kreeg de sterke aandrang om haar ongelijk te bewijzen, maar onderdrukte die even snel.

'Wel, de Dokter en de Studente, beiden te beschadigd om nog lief te hebben. Zouden we misschien maar beter verliefd worden op elkaar en aan alle clichés voldoen?'

Mijn sarcastische toon verzachtte de opmerking, maar de blik die ze me wierp maakte me toch ongemakkelijk. Er hing even een gespannen sfeer in de kamer.

Toen trok ze één wenkbrauw op en antwoordde: 'Ik denk dat iemand een iets te hoge dunk heeft van zichzelf.'

'Dat houdt je anders niet tegen om iedere avond bij me in bed te kruipen.'

'Of op regenachtige namiddagen op uw schoot.'

Ze voegde daad bij woord, wat een bijzonder efficiënte methode was om me te doen zwijgen. Voor een uurtje konden we weer vergeten wie we waren en ons enkel op onze twee warme, plakkerige lichamen concentreren.

Achteraf lagen we op de harde vloer van de woonkamer met een deken over ons. Ik voelde de vertraagde ademhaling van de Studente tegen mijn arm en dacht dat ze sliep. Toen verbrak haar stem de stilte.

'En in welke zin is de grote Dokter beschadigd?' vroeg ze. 'Of gaat u de vraag ontwijken?'

Dat deed me glimlachen.

'Na die brutale eerlijkheid kan ik moeilijk nog zwijgen. Maar ik vrees dat mijn verhaal veel minder dramatisch is dan het jouwe.'

'Drama is zwaar overschat.'

'Daar heb je gelijk in.'

Het duurde even voor ik had besloten hoe ik verder moest. Uiteindelijk waren er niet veel mensen die wisten waarom ik me indertijd had teruggetrokken en de rest van mijn leven in isolatie had doorgebracht. Het was dan ook niet bepaald een verhaal om trots op te zijn. Hoe langer ik erover nadacht, hoe belachelijker mijn levensverhaal leek in vergelijking met de werkelijke ellende die de Studente had meegemaakt.

Ik laat het aan haar over om mijn zondeval te beschrijven, maar eerst geef ik u een inleiding. Ik heb tenslotte ook een voorgeschiedenis en ik beschouw het als wetenschapper van het grootste belang dat alle feiten geweten zijn. Of misschien probeer ik mezelf gewoon te verdedigen voor u een oordeel velt.

Ik groeide op in een gezin dat uitblonk door zijn onopmerkelijkheid. Mijn vader was een rijk man – een geschenk dat samenhangt met ijdelheid en grootheidswaanzin, zo lijkt het – en hij verwachtte grootse dingen van zijn nageslacht. Het zag er even naar uit dat dat nageslacht uit twee zonen zou bestaan, tot mijn moeder stierf bij de geboorte van de tweede zoon en het kind met zich meenam. Ik was vier jaar, dus ik kan niet zeggen dat ik haar goed gekend heb. Ze is een vage, warme herinnering, maar geen gemis in mijn leven. Dit betekende dat het familiebedrijf later mijn verantwoordelijkheid zou worden. Ik besefte al op jonge leeftijd dat ik dat niet wou. Mijn interesses lagen elders.

Ik ben lange tijd klein geweest voor mijn leeftijd en bijgevolg leerde ik om mijn mond dicht te houden. Het liefst las ik een boek in een stil hoekje van het huis, of tekende ik in het grote schetsboek dat ik voor mijn verjaardag had gekregen. Die schetsen evolueerden van fantasievolle monsters en helden naar gewone mensen. Daar lag mijn echte fascinatie. Ik kon uren bezig zijn met het tekenen van een bepaald persoon, tot ik elk detail van zijn of haar lichaam had overgenomen. Hoeveel ik later ook ben veranderd, dat geduld en oog voor detail is altijd gebleven. Het was de voornaamste oorzaak van mijn succes.

Het voordeel aan klein en stil zijn, ondervond ik al snel, is dat niemand je opmerkt. Ik kon in alle rust een kamer vol mensen bestuderen zonder dat ze mij lastigvielen. Ook al zag elk persoon er anders uit, ik begon al snel patronen te onderscheiden. Lichaamstaal zegt zo veel meer dan mensen denken en het spreekt boekdelen voor de juiste persoon. Ik was er toen al van overtuigd dat ik die persoon was.

Mijn kinderlijke fascinatie voor het menselijk lichaam kreeg in mijn adolescentie de focus die het nodig had. Toen ik tien was, werd ik ernstig ziek. Tot op vandaag heb ik eigenlijk geen idee wat het was dat me had geveld, maar ik herinner me nog heel goed de bezoekjes van de arts. Een oudere, ernstige man die met een eigenaardig instrument naar mijn longen en hart luisterde. Hij leek feilloos te weten waar alles zich bevond, ook al kon hij niet onder mijn huid kijken. Met een scherp mes wist hij altijd een ader te vinden om bloed in een metalen kom te laten vloeien. Zo zou hij de ziekte kunnen uitdrijven, vertelde hij me.

Mijn jeugdige geest zag hoe de vijand – duizenden kleine soldaatjes – uit mijn lichaam werd getrokken in de vorm van rood, plakkerig bloed. Ik stelde me voor dat ik mijn hart en longen kon zien pulseren onder de harde barrière van mijn ribbenkast. Hoe zou een mens er vanbinnen uitzien?

Meer dan de drang om mensen te helpen of om ontdekkingen te doen, was het die vraag die me naar de geneeskunde trok. Ik wou zien hoe iemand eruitzag als de binnenkant werd opengelegd. Ik wou degene zijn die de huid wegpelde en zag wat er aan de onderkant zat. De eerste keer dat ik op de universiteit een lijk mocht opensnijden, voelde ik mezelf thuiskomen. Dit was waar ik hoorde, aan een dissectietafel met een scalpel in mijn hand.

Mijn vader ging niet akkoord met mijn beslissing om dokter te worden. Dat hebben de Studente en ik dan toch gemeen. Ook ik heb hem uiteindelijk kunnen overtuigen om mijn studies te financieren. In werkelijkheid gaf ik hem geen keuze. Ofwel ging ik met zijn toestemming geneeskunde studeren, ofwel zou ik mijn eigen weg zoeken in Londen zonder geld. Het enige dat mijn vader erger vond dan zijn zoon die zou werken, was zijn zoon die in armoede zou leven. Dus stemde hij in en begon ik op de vroege leeftijd van vijftien aan mijn studies in St. George's Hospital. Mijn professoren erkenden vrij vlug mijn handigheid met een scalpel en gaven me veel vrijheid. Al snel was dat echter niet genoeg meer. Ik wou alles weten over anatomie wat ik maar kon en dat vroeg om meer lichamen dan zij me konden bieden.

De oplossing voor mijn probleem kwam uit onverwachte hoek en had aanvankelijk niets te maken met mijn studies. Ik had in de eerste maanden van mijn opleiding een aantal nieuwe vrienden gemaakt, jongemannen van mijn leeftijd die me leerden dat stille mensen het meestal niet ver schoppen. Ze introduceerden me in het Londense nachtleven, waar je als man vreemd genoeg veel kunt bereiken als je zegt dat je dokter bent. Opscheppen werd een gewoonte en ik boorde een bron van zelfzekerheid in mezelf aan die al snel naar arrogantie neigde.

Er was geen club of pub te goor, en hoe kleurrijker de figuren, hoe meer ik erbij wilde zijn. In donkere kelders konden we gokken op vechtende honden of zelfs ratten terwijl we iedereen op goedkope scotch trakteerden. In obscure pubs dronken we met de ene hand absint terwijl we in de andere hand een opiumpijp hadden. Decadentie was de regel en vergetelheid was meestal het gevolg.

Op een avond was ik aan het praten met enkele ongure figuren die gefascineerd waren door mijn vak. Lichtjes dronken begon ik te praten over mijn ideale situatie: lijken kunnen ontleden in de geborgenheid van mijn eigen huis en kunnen werken wanneer ik maar wou. Eén van de mannen, de onguurste van hen allemaal door het grote litteken dat over zijn gezicht liep, leunde met een samenzweerderige glimlach naar me toe.

'Wat als ik u vertelde dat dat een mogelijkheid was?'

'Ik heb al geïnformeerd bij de universiteit, maar ze hebben niet meer lichamen in de aanbieding.'

'De universiteit niet nee, maar er zijn ook andere manieren om aan lijken te komen.'

De glimlach was een grijns geworden en hij wachtte geduldig tot mijn benevelde brein het gesprek had ingehaald.

'Hebt u het over… resurrectionisten?'

Resurrectionisten zijn een speciaal soort criminelen. In de tijd voor de Anatomy Act, toen er een erg beperkt aanbod was van lichamen, betaalden veel dokters deze criminelen om in lijken te voorzien voor dissectie. Waar de lichamen vandaan werden gehaald, maakte voor de artsen niet veel uit. De meeste werden simpelweg uit hun graf getrokken, wat metalen kooien rond doodskisten populair maakte, maar er waren ook resurrectionisten die zelf voor verse lijken zorgden. In 1829 zorgde het proces van Burke en Hare in Schotland voor veel ophef. Deze twee mannen waren verantwoordelijk voor zestien moorden, gepleegd in opdracht van dokters. Een aantal jaren later kwam ook in Londen een zaak van moord door resurrectionisten in de belangstelling. Dat was de voornaamste reden voor de intrede van de Anatomy Act, die ook de dissectie van armen aanvaardde.

Ik kende de resurrectionisten van reputatie, maar voor zover ik wist was het gebruik al een tijdje verdwenen wegens gebrek aan vraag. Deze mannen maakten me echter duidelijk dat het even gemakkelijk opnieuw geïntroduceerd kon worden, als ik mijn portefeuille maar liet zien. De gedachte was opwindend, al herinnerde ik me dat er ook dokters waren veroordeeld voor het stelen van lichamen.

Laten we echter niet de arrogantie van de jeugd onderschatten. Ik was achttien en voelde me onverslaanbaar. Natuurlijk zou ik nooit gepakt worden. Dus schudde ik die avond de hand van de man met het litteken en kreeg ik de week erop mijn eerste lijk thuis afgeleverd. Nadat ik de dissectie had uitgevoerd, verdween het lijk weer even snel. Het was een perfect systeem.

De jaren die volgden behelsden mijn meest productieve periode. Ik kreeg elke week of vaker een nieuw lijk en mijn nota's groeiden dagelijks. Het vereiste wat handigheid om mijn vader om de tuin te leiden en de nodige fondsen te verwerven, maar het lukte me uiteindelijk zonder veel complicaties.

Al snel begon ik me te ergeren aan de manier waarop anatomie werd gegeven in mijn lessen. Het was simplistisch en te zeer gebaseerd op wat de professoren in hun hoofd hadden. Meer dan eens ontdekte ik onregelmatigheden, zaken die niet overeenkwamen met wat ik elke dag waarnam in mijn eigen dissecties.

Mijn medestudenten wisten dat ik kundig was in het uitvoeren van dissecties en kwamen naar mij om bepaalde delen van de anatomie te verduidelijken. Voor een prijsje verkocht ik hun dan nota's of schetsen die ik thuis overschreef van mijn oorspronkelijke aantekeningen. Ik verdiende er bijna mijn transacties met de resurrectionisten mee terug en ik was bijzonder tevreden met mezelf. Toen ik zes jaar bezig was met mijn opleiding won ik een prijs voor een essay over de anatomie van de oogbol en omliggende structuren. Het was de ultieme bevestiging dat mijn illegale praktijken loonden, dat het doel de middelen meer dan heiligde.

Niet lang na mijn drieëntwintigste verjaardag stierf mijn vader. Een gebeurtenis die me niet zozeer verdriet bezorgde, maar eerder verbazing opwekte dat hij zichzelf niet uit pure nijd in leven had gehouden. Hij was ertoe in staat geweest. Maar zoals vaak is ziekte sterker dan de menselijke geest en ik kwam plots in het bezit van een enorme erfenis.

De advocaat van mijn vader heeft me lange tijd proberen aan te sporen om het familiebedrijf over te nemen. Daar zag ik echter geen toekomst in. In plaats daarvan verkocht ik het allemaal: het huis, zijn bezittingen, zijn bedrijf, alles wat hij had aangeraakt en alles waar hij voor stond. Ik wou er niets meer mee te maken hebben. Met de opbrengst zou ik tot mijn dood comfortabel kunnen leven.

Ik werkte koortsachtig verder aan mijn studies en werd in 1852 – bijna exact tien jaar nadat ik aan mijn opleiding was begonnen – verkozen als lid van de Royal Society. Dat was een enorme eer op mijn leeftijd en ik werd meteen gevraagd om in St. George's te blijven als professor.

Mijn eerste jaren als leerkracht waren bijzonder ontnuchterend. Veel collega's behandelden me met afgunst en neerbuigendheid, aangezien ik veel jonger was dan zij. De maatschappij heeft soms het idee dat alle dokters respectabele, inherent goede mannen zijn. Ik ontdekte al snel dat die mensen eerder de uitzondering dan de regel vormden. De meesten van ons hebben een opgeblazen gevoel van zelfwaarde en leven in de volle overtuiging dat we boven de wet staan. Het was een wereld waar wetenschap niet altijd op de voorgrond stond en waar vooral werd geluisterd naar de mannen die het luidst riepen.

De grootste schok van mijn nieuwe carrière was echter voor een klas staan. Plots was het de bedoeling dat ik alle jonge mensen die ik voordien simpelweg had afgedaan als slechter dan mijzelf, zou motiveren om even goed te worden. Het zat niet in mijn natuur om hun domme vragen te beantwoorden en hun stuntelende dissecties te verbeteren. Maar ik was vastbesloten om ook in dit beroep te slagen en ik begon na te denken over manieren om het mezelf gemakkelijker te maken.

Dat is de werkelijke ontstaansreden van mijn boek. Niet omdat ik mijn studenten wou helpen, of omdat ik de anatomische wetenschappen wou verbeteren, maar omdat ik niet voortdurend dezelfde vragen wou beantwoorden. Gedurende vijf jaar werkte ik aan een boek dat alle delen van de menselijke anatomie zou omvatten. Ik maakte houtsneden met gedetailleerde tekeningen van de lichaamsdelen en probeerde elke structuur zo accuraat mogelijk in beeld te brengen. Het eindresultaat was een boek van 750 pagina's met 363 tekeningen waar ik tot op de dag van vandaag bijzonder trots op ben. Het was mijn meesterwerk.

Blijkbaar deelden anderen die mening, want het boek kende een ongelooflijk en onmiddellijk succes. Studenten geneeskunde over het hele land behandelden het als hun nieuwe bijbel en zorgden ervoor dat ik me een god in hun aanwezigheid waande.

Niemand stelde zich vragen bij het ontstaan van mijn boek en iedereen ging ervan uit dat ik mijn informatie had verkregen van de lichamen die de universiteit ter beschikking stelde. Ik was niet van plan die illusie te doorprikken. Maar natuurlijk kon mijn ideale situatie niet voor altijd blijven doorgaan. Ik was altijd voorzichtig dat ik niemand vertelde over mijn akkoord met mijn Londense vriend. Tot ik Catherine ontmoette, want natuurlijk was het een vrouw die mijn fragiele leven liet instorten. Ook ik kan niet ontsnappen aan de patronen van het leven.

16. Hybris

Heren – de studie van het rottingsproces is zeer belangrijk in de forensische geneeskunde. Het wordt veroorzaakt door persistentie van chemische processen in het lichaam na de dood. Deze processen hebben als effect dat de laesies resulterend van de ziekte of verwondingen zullen veranderen. Na de dood verkleurt de huid bovendien en wordt het bloed getransporteerd naar regio's die tijdens het leven niet geobstrueerd waren. Dit zijn verschillende oorzaken van fouten die door medische professionelen worden gemaakt tijdens autopsies. Met onze huidige kennis van het rottingsfenomeen kunnen we ook aan de magistraat zeggen wanneer het individu is gestorven. De observaties van M. Mégnin, die zorgvuldig de insecten heeft bestudeerd die azen op een dood lichaam, kunnen ons soms helpen in het vaststellen van de datum met wiskundige exactheid. Hij heeft deze insecten toepasselijk de arbeiders van de Dood gedoopt.
    - Death and Sudden Death [6]

Liefde maakt ons blind voor zaken die normaal voor de hand zouden moeten liggen. Althans, dat laat ik me vertellen door de Dokter. Er is iets dat een persoon blind maakt voor alle fouten van de ander, zeker in het begin van een relatie. Dat moet bij sommige koppels ook de enige reden zijn dat ze bij elkaar blijven, omdat het, wanneer de roze gloed optrekt en ze wel die kleine ergernissen gaan voelen, te laat is. Persoonlijk voel ik me goed met de wetenschap dat ik niet in die bepaalde val zal trappen.

De Dokter had niet dat geluk. Op een avond – niet lang nadat zijn boek was gepubliceerd – kruiste zijn pad met Catherine en merkte hij plots dat hij niemand anders meer zag staan. Hij had zichzelf nooit als een romantische ziel beschouwd, vastgeketend aan zijn werk als hij was, maar zelfs een wetenschapper bleek niet immuun te zijn.

Catherine was van gegoede afkomst, net als hij, en gedroeg zich ook zo. Ze bezat een gesofisticeerde schoonheid, die met momenten te afgeborsteld was om waar te zijn. Ondanks de schijn van onechtheid die rond haar hing, was ze altijd de fascinerendste vrouw in de kamer. In tegenstelling tot de fijne meisjes die netjes hun ledematen bij zich hielden, zat zij vaak met een arm over de leuning van haar stoel geslagen in een gebaar van dominantie dat niet veel vrouwen aandurfden. Dan keek ze verveeld de kamer rond en nipte ze van haar glas wijn, alsof ze iemand uitdaagde om haar te vermaken.

Vanaf het eerste etentje waarop hij haar was tegengekomen, veranderde de Dokter in een van de vele mannen die rond haar hingen in de hoop een goede indruk achter te laten. Om redenen die hem volstrekt onbekend waren, was hij degene die werd gekozen. Ze accepteerde zijn avances met een zoete glimlach en ze zagen elkaar veel in de weken die volgden. Hij viel harder voor haar dan hij ooit voor mogelijk had gehouden. Op geen enkel moment in dat prille begin kwam het in hem op dat zijn naambekendheid weleens de enige reden zou kunnen zijn dat ze met hem optrok. Misschien had hij wat gereserveerder moeten zijn, maar hij koos ervoor om de voorzichtige waarschuwingen van zijn vrienden te negeren, want zijn hart voelde licht aan en hij had last van iets dat verdacht veel leek op verliefdheid.

Het duurde niet lang voor ze als koppel een vaste aanwezigheid waren op de meeste gelegenheden en de ene naam zonder nadenken werd vernoemd met de andere. Omdat ze beiden niet meer van de jongste waren werd het getolereerd dat ze nog niet volgens wet en kerk waren verbonden, al verwachtte iedereen de aankondiging spoedig. De Dokter was echter niet gehaast om te trouwen. Hij bezag het instituut als iets archaïsch, iets dat hem enkel zou hinderen in zijn werk. Toch beschouwde hij Catherine zelf niet als een belemmering. Voor het eerst in zijn leven wou hij werkelijk tijd vrijmaken, weg van zijn dissectietafel, voor een ander persoon. Dat feit op zich was voor hem het bewijs van liefde.

Ook Catherine leek geen groot voorstander te zijn van het huwelijk. Ze had haar leven opgebouwd met zichzelf in het midden en dat liet niet veel ruimte voor andere mensen. Maar dat vond de Dokter niet erg, hij schikte zich al snel in de ongewone relatie die ze hadden opgebouwd. Tot zijn verbazing zag hij verschillende jaren passeren, zonder ooit verveeld te raken. Catherine was onbevreesd, op het roekeloze af, en immer charmant als ze zich ergens moest uitpraten. Ze werd niet afgeschrikt door de ongure clubs waar de Dokter graag vertoefde en wedde mee welke hond of rat die avond zou winnen. Daarna dronk ze de helft van de mannen onder tafel en was ze nog in staat om hen beiden veilig thuis te krijgen. Er was niets waar ze niet voor openstond, zo leek het soms.

Het waren niet de productiefste jaren van zijn leven, maar wel de meest bevredigende. Hij had nooit de zekerheid en steun gehad die een serieuze relatie kon geven. Als hij zich dan 's avonds af en toe bedacht dat hij al lang geen dissectie meer had uitgevoerd, kon hij zich daar geen zorgen over maken.

Zijn vraag voor lijken verminderde van enkele keren per week naar enkele keren per maand. Ondanks die daling begon het Catherine toch op te vallen dat zijn dissectieobjecten altijd netjes thuis werden afgeleverd en opgehaald. Ze stelde er vragen over, die hij aanvankelijk handig wist te ontwijken. Maar na een tijdje werd ze vasthoudender en begon hij zich af te vragen waarom hij zo'n banaal geheim wou verbergen voor de vrouw van wie hij hield. Uiteindelijk was het toch allemaal niet zo strafbaar waar hij mee bezig was.

Hij had zeer weinig contact met de mannen die het vuile werk voor hem opknapten. De man met het grote litteken kwam zijn betalingen halen, verder gebeurde alles via telegram of brief. De lijken kwamen toch van graven waar niemand iets om gaf, dus waarom zou hij zich schuldig moeten voelen? En als hij af en toe merkte dat de doodsoorzaak toch iets gewelddadiger was dan hij zou verwachten, dan deed hij dat af als toeval. Ontkenning is een machtig wapen.

Catherine leek niet verbaasd over het nieuwe stukje informatie dat hij haar gaf. Integendeel, ze vond net als hij dat het de logische oplossing was. Ze kuste hem en vertelde hem dat ze trots was om zo'n intelligente en gedreven man aan haar zijde te hebben.

Er was veel dat hij niet wist over Catherine in die tijd. Sommige dingen waren duidelijk zichtbaar, maar bleven verborgen voor hem. Andere dingen wist hij eigenlijk wel, maar weigerde hij te geloven. Achteraf kon hij zo de fouten zien, de dingen die hij anders had moeten doen. De man die zo moeilijk vrienden maakt had nu al zijn vertrouwen in de verkeerde persoon geplaatst.

Er was een reden dat Catherine zich niet graag bond aan een man. Dat had niets te maken met het behouden van haar onafhankelijkheid, maar wel met gulzigheid. Het kwam zelden voor dat deze vrouw maar één mannelijke partner had op een gegeven moment. De publieke relatie die ze met de Dokter had betekende dat ze haar andere affaires geheim hield, maar ze waren er desalniettemin. Een van die andere mannen was toevallig een collega van de Dokter die ook lesgaf aan St. George's. Het zal niemand verbazen dat Catherine een voorkeur had voor intelligente mannen.

Wat u echter moet weten over intelligente mannen is dat ze vaak niet goed overeenkomen. De drang om de slimste in de kamer te zijn zal altijd het wederzijds respect overstijgen. Zo was het ook met de Dokter en zijn collega. De twee konden elkaar niet uitstaan. Het hielp niet dat de Dokter zijn arrogante persona nooit losliet en het regelmatig gebruikte om andere artsen belachelijk te maken.

Het is niet duidelijk of Catherine wist van de vijandigheid tussen de twee mannen, toen ze in een intiem moment aan diezelfde collega vertelde over het handige akkoord dat de Dokter had geregeld voor zichzelf. Zou Catherine geweten hebben dat de praktijk strafbaar was? Zou ze hebben verwacht dat de collega die informatie zou gebruiken om de ondergang van de Dokter te regelen?

Hij is er nooit achter gekomen in hoeverre het plan van het listige brein van Catherine kwam en dat zal hij waarschijnlijk ook nooit weten. Maar het verandert niets aan de uitkomst. Enkele weken na zijn bekentenis aan Catherine kreeg hij een een vriendelijke anonieme brief afgeleverd die hem in zeer duidelijke bewoordingen mededeelde dat hij zou worden aangeklaagd voor grafroof en alles zou verliezen waar hij voor gewerkt had.

Het is niet gemakkelijk om je eigen ondergang te voorspellen. In het geval van de Dokter kwam het geheel onverwacht. Hij voelde de grond onder zijn voeten wegbrokkelen en had geen idee waarom dit aan het gebeuren was. Maar hij wist wel dat er slechts één persoon op de hoogte was van zijn activiteiten. Toen hij Catherine confronteerde met de brief, antwoordde ze met een opgetrokken wenkbrauw.

'Ik weet niet waarom je dit aan mij laat zien. Als het om zulke illegale praktijken ging, had je de informatie beter voor jezelf gehouden. Je hebt me nooit verteld dat het een geheim moest blijven.'

Daarmee was voor haar de zaak afgehandeld. Ze kon het zich simpelweg niet aantrekken. Koude vrouwen lijken een constante te zijn in het leven van de Dokter en Catherine was het koudst van hen allemaal.

Wat ze na lang aandringen wel voor hem deed, was onderhandelen met de zender van de brief. Want de Dokter was van één ding zeker: hij zou zich niet laten vernederen in een rechtszaak en gevangenisstraf riskeren. Uiteindelijk wist hij zijn chanteur te overtuigen dat zijn complete en absolute verdwijning hetzelfde effect zou hebben. Hij zou zijn betrekking als professor opgeven, zich terugtrekken op het platteland en nooit meer een letter publiceren. De Dokter zou zichzelf volledig verwijderen als competitie.

Het was het plan van een gewond dier dat zich terugtrekt om zijn wonden te likken. Toen hij daarmee instemde, had hij het niet als een permanente situatie beschouwd. Er zou zich een oplossing aandienen voor zijn probleem, daar was hij zeker van. En op het platteland kon hij tenminste verder werken. Er was maar één ontmoeting nodig met de man met het litteken om zijn nieuwe situatie uit te leggen. Zolang hij bleef betalen, was een adresverandering geen probleem. Op het einde van het gesprek had de man zich naar voren gebogen en gevraagd of hij de chanteur niet gewoon een kopje kleiner moest maken. Tot zijn schaamte was er een moment dat de Dokter dat voorstel serieus overwoog. Maar rechtstreeks verantwoordelijk zijn voor een moord, dat kon hij niet. Tenminste, toen nog niet.

Hij had zijn beslissing genomen en zou er niet op terugkomen. Zijn huis in Londen wou hij nog niet verkopen, maar hij had genoeg geld over van het familiefortuin om een cottage te kopen in het eerste dorp waar hij aankwam, dicht bij het treinstation. Het hele gebeuren nam slechts enkele dagen in beslag. Enkele dagen om zichzelf volledig uit te wissen. De Dokter werd voor het laatst gezien in Londen op 13 juni 1861.

Plots moest hij zich aanpassen aan een nieuw leven van afzondering. Hij was altijd een sociaal man geweest, voornamelijk omdat hij via anderen zelf goed voor de dag kon komen. Nu moest hij wennen aan totaal isolement. In het begin ging dat hem goed af. Hij genoot van de kans om zijn gedachten onverstoord hun gang te laten gaan en zijn gekrenkte zelfbeeld wat te laten herstellen.

Na een tijdje voelde hij echter de drang opkomen om een oude vriend te bezoeken of om uit te gaan. Hij begon korte conversaties te voeren met de dienstmeid die gelukkig een spraakzame vrouw was. Die gewoonte hield hij jarenlang vol en er ontwikkelde zich een voorzichtige vriendschap tussen de twee. Zij had ontzag voor zijn carrière, maar stond afkeurend tegenover zijn privéleven. Hij vond het dan weer moeilijk om met een vrouw om te gaan wiens grootste ambitie het opvoeden van haar kinderen was. En toch bestond er een soort wederzijds respect dat hun toeliet om goed met elkaar op te schieten.

Zijn nieuwe leven begon langzaamaan een vertrouwde routine te krijgen. Via de post kon hij veel bestellen, maar hij verloor al snel zijn interesse voor nieuwe dingen. Hij vulde de dag met werken, lezen en tuinieren. Algauw waren er vijf jaar gepasseerd en voelde hij op geen enkel moment meer de aandrang om zich onder mensen te begeven. Het eenzame leven had hem te pakken gekregen.

Er had zich ook een soort koppigheid vastgezet in zijn brein waardoor hij weigerde om op de hoogte te worden gehouden van alles wat met de buitenwereld te maken had. Hij maakte zichzelf wijs dat hij niets meer wou weten van die corrupte, schijnheilige maatschappij. Hij trok zich terug achter een muur van cynisme en vertelde zichzelf dat hij geen vrienden of sociale contacten nodig had. De keren dat hij dan toch verlangde naar een vrouw in zijn bed, bestelde hij die samen met een nieuw lijk.

Op de sporadische aanvallen van eenzaamheid na, leidde hij een tevreden leven. Het kwam dan ook niet bij hem op om iets aan dat simpele bestaan toe te voegen. Tot er een jongeman had besloten om het zijn missie te maken bij de Dokter in de leer te gaan. Geïntrigeerd door zijn vasthoudendheid nodigde hij de jongen uit. De Dokter was op dat moment veertig jaar oud en leefde al zes jaar alleen.

Voor hem was het aanvankelijk gewoon een kans om wat stimulerende conversaties te voeren en te zien hoe het met de toekomstige generatie dokters stond. Maar de jongen was oprecht geïnteresseerd in de anatomische talenten van de Dokter en bijzonder leergierig. In tegenstelling tot de meesten van zijn vroegere studenten, had hij werkelijk talent met een scalpel. Op enkele weken tijd boekte hij enorme vooruitgang en de Dokter had bijna durven zeggen dat de jongen even goed was als hijzelf.

Na een maand namen ze op vrij aimabele wijze afscheid van elkaar en de Dokter dacht dat dit het einde was. Dat leek het ook te zijn, tot in Londen bekend werd waar de jonge dokter zijn handigheid had geleerd. Voor hij het wist, hadden tientallen aspirant-artsen contact met hem opgenomen in de hoop om hetzelfde te leren. Hij antwoordde op geen enkele brief en hoopte dat het probleem vanzelf zou verdwijnen. Maar met regelmatige tussenpozen stond er plots een nieuwe student voor zijn deur. Zelfs dan nam hij ze enkel aan als ze iets te bieden hadden. Helemaal kon hij er toch niet aan weerstaan. Hun aanwezigheid voedde zijn zelfbeeld en hield zijn reputatie hoog. Zijn leven was weer veranderd en de bezoekjes werden al snel deel van zijn routine.

De woede die hij voelde jegens Catherine nam langzaamaan af naarmate de jaren vorderden. Soms stond hij er eens bij stil hoe traag zulke gevoelens zich uit het lichaam filteren. Alsof er nieuwe en even sterke emoties ervaren moeten worden vooraleer de oude zich kunnen verplaatsen naar het verleden. En voor hem waren er natuurlijk weinig opportuniteiten om nieuwe ervaringen op doen.

Maar ook de vrouw van wie hij eens had gehouden verplaatste zich ten slotte naar de achtergrond van zijn leven, tot hij op een moment besefte dat hij al weken niet meer aan haar had gedacht. Hij wist niet hoe hij zich daarbij moest voelen. Het zou een opluchting moeten zijn, maar in plaats daarvan voelde het alsof hij opnieuw iets verloor.

De Dokter heeft nooit meer contact gehad met Catherine. Hij bedacht zich dat ze ondertussen al een heel leven achter de rug gehad zou hebben. Een leven waarin ze waarschijnlijk nog weinig aan hem had gedacht, terwijl hij al die jaren niets had gedaan, niets had bereikt. Een familie zou hij nooit hebben en zijn carrière bestond uit één succesvol boek en de lof van een aantal studenten.

Toch was er ook de opluchting van het kunnen ontsnappen aan die wereld. Het banale familieleven had hem nooit tevreden kunnen houden. Catherine evenmin, hoe verliefd hij ook was in die tijd. Ze was een prachtige vrouw geweest, iemand om over te schrijven, maar uiteindelijk waren haar tekortkomingen groter. En het was al moeilijk genoeg om met zijn eigen tekortkomingen te leven.

De Dokter kan niet in alle eerlijkheid zeggen dat hij op een goede manier heeft geleefd. Zelfs nu weet hij niet of hij indertijd de juiste keuze heeft gemaakt door zich terug te trekken. Hij vergelijkt zichzelf graag met Icarus, wiens hybris zijn einde betekende. Het is waar dat trots nooit een goede motivatie is. Maar hybris had oorspronkelijk zelfs niets met trots of hoogmoed te maken. De term werd door de Oude Grieken gebruikt voor daden gericht op de vernedering en pijn van het slachtoffer voor het plezier van de dader. Dus was het de Dokter die zich schuldig maakte aan hybris, of ligt die zonde bij Catherine en haar minnaar?

Het antwoord heeft wederom geen invloed op de uitkomst, want de Dokter heeft zijn keuzes gemaakt en moet daarmee leven. We moeten allemaal leven met de keuzes die we maken.

17. De ouderdom

Dus daar hebt u het. De Dokter naar wie iedereen opkeek voor zijn duizelingwekkende genialiteit, deze Dokter viel ten prooi aan valse liefde en chantage en trok zich terug als een gewond dier.

Weet u wat het probleem is met liefdesverdriet? Het wordt niet begrepen. Een simpele daad kan alles wat twee mensen hebben opgebouwd weer afbreken. Iemand verbreekt de relatie en van het ene moment op het andere is die connectie weg, alsof ze er nooit is geweest. Voor de buitenwereld gaat het om de zoveelste relatiebreuk, een paar weken verdriet en dan weer verdergaan met je leven. Maar in je eigen lichaam woedt er chaos.

Er is werkelijk niets banaler dan een persoon wiens hart gebroken is. De tranen die ermee gepaard gaan, de woede die wordt opgewekt. Het stoot af. In het begin zullen er steevast mensen klaarstaan met troostende woorden en bezorgde gezichten, maar algauw vragen ook zij zich af waar al het drama nu eigenlijk voor nodig is.

Ze hebben gelijk, natuurlijk. Ik kende haar niet lang en duidelijk ook niet goed. Maar het zit in mijn karakter om me volledig te geven. Voor mijn werk, voor mijn imago, zo ook voor mijn liefdes. Ik geef mijn hart omdat het goed voelt en omdat de wereld zo zou moeten zijn. Als je iemand vindt die het waard is om lief te hebben ga je niet terughoudend zijn. Dan ga je ervoor, en verdomd de gevolgen.

Maar deze keer smaakten de gevolgen wel bijzonder bitter. Haar losbandigheid en loslippigheid hadden me alles gekost.

Ik had niemand om in vertrouwen te nemen, want ook mijn vrienden hadden me kunnen verraden. Dus deed ik het enige wat ik op dat moment kon doen en ging in op de eisen van mijn chanteur. Ik heb nooit meer omgekeken.

Nu er meer dan twintig jaar gepasseerd zijn, begin ik echter opnieuw na te denken over de juistheid van die beslissing. Ik heb ervoor gekozen om in een positief licht herinnerd te worden, in plaats van mijn kansen te nemen in het leven. Ik ben de veilige weg ingeslagen. Maar wat heb ik nu eigenlijk te vertellen over mijn leven? De eerste veertig jaar konden samengevat worden in twee hoofdstukken. Hoe is dit mogelijk? Heb ik dan niet geleefd? Heb ik dan niet liefgehad? Natuurlijk wel. Maar wat is het eigenlijke belang van deze dingen? Wat betekent de liefde van een man in een wereld vol nostalgische harten? Wat is een geboorte of sterfte in het licht van een hele aardbol vol gelijkaardige levens?

Dat zijn de vragen die mij plagen, vooral 's avonds, als ik in mijn bed lig en me heel even intens eenzaam voel.

Mijn plotse verdwijning was een groot toneelstuk dat mijn zwanenzang had moeten zijn. In plaats daarvan werd het een goedkope goochelaarstruc. Maar het verleden kan niet worden veranderd. Het enige wat ik nu nog kan doen is het einde herschrijven.

Er zijn slechts een aantal zekerheden in dit leven. We kunnen niet leven zonder gekwetst te worden en er komt een dag dat ons hart stopt met kloppen. Maar ondanks die feiten gaan we toch allemaal hardnekkig verder met opgroeien, mensen ontmoeten en nageslacht produceren in de hoop dat zij niet dezelfde fouten begaan. En dan worden we oud.

Velen beschouwen ouderdom als een voorrecht, een teken dat je goed genoeg geleefd hebt om nog te kunnen genieten van een welverdiende rust. Dat is in elk geval wat ik me als jonge man voorhield. Ik stelde me voor hoe ik eruit zou zien: met grijze haren, rimpels, een permanent wijze gelaatsuitdrukking en toch dezelfde grijns als toen ik jong was. Nu ik werkelijk oud ben, moet ik beschaamd toegeven dat mijn jonge en naieve zelf helemaal fout zat. De grijze haren en de rimpels zijn wel degelijk gekomen, maar daar houden de gelijkenissen op. De ouderdom is me overvallen zonder dat ik het zag aankomen. Ik kreeg geen voortekenen uit mijn omgeving. Mijn pensioen begon tenslotte toen ik vierendertig was. Ik stond elke ochtend voor de spiegel en keek naar hetzelfde gezicht. 's Avonds waste ik hetzelfde lichaam. Mijn sterfelijkheid was altijd iets abstracts, iets om me later zorgen over te maken. Maar er komt onvermijdelijk een dag dat je in de spiegel kijkt en plots wordt herinnerd aan een ander gezicht. Een gaver gezicht zonder grijze haren. En dan komt het besef dat de ouderdom zich niet alleen heeft binnengedrongen in je leven, maar het ook ineens heeft veroverd. Op dat moment wordt je eigen sterfelijkheid een stuk reëler.

Dan besef je dat er een moment zal komen wanneer alleen wonen geen optie meer is. Dat de herinneringen uiteindelijk zullen wegglippen. Eerst de kleine dingen en langzaamaan zullen namen en gezichten uit het verleden verdwijnen in de vergetelheid. Elke dag zal ik een beetje minder op mezelf lijken, want mijn herinneringen maken me wie ik ben. Tot het moment komt dat ik de controle over mijn lichaam verlies.

Oud worden is een lelijke zaak, daar bestaat geen twijfel over. We hopen allemaal onze waardigheid te behouden en ons onbeduidende leven in alle rust te kunnen uitlopen, maar zo werkt het natuurlijk niet. De enige manier om tot op het einde elegant te leven, is door vroeg te sterven. Voor de dementie begint. Voor de eindeloze kwaaltjes en doktersbezoeken starten.

Met het verstrijken van de jaren dringt zich ook een gevoel van melancholie op. Het is een emotie waar ik me misschien iets te graag in wentel. De Studente wist me daar echter altijd weer uit te sleuren.

'U bent het weer aan het doen,' zei ze dan, zonder zelfs maar van haar boek op te kijken.

'Wat ben ik aan het doen?'

'Aan het staren in de verte, in gedachten verzonken. U bent nog bijlange niet oud genoeg om u te gedragen als een seniele opa.'

Dan keek ze op van haar boek, zag mijn beledigde blik en liet haar mondhoeken omhoog krullen. Tegelijkertijd schoten we dan in de lach. Ik weet niet waarom die grimmige toekomst dan plots zo grappig was, maar de Studente had er een handje van weg om ongepaste dingen geestig te maken.

Op een avond zaten we in de sofa wat te praten. De Studente was al de hele dag in een goede bui en had haar hoofd op mijn schoot gelegd in een zeldzaam gebaar van affectie. Ik genoot er meer van dan goed voor me was. Ze was aan het vertellen over een reeks artikels van een zekere Joseph Lister die ze had gelezen tijdens haar opleiding. Ik had nog nooit van de man gehoord.

'Dat had ik wel verwacht, het is me niet ontgaan dat u hier geen boeken hebt gedateerd na 1861.'

'Wat heeft het voor zin om op de hoogte te blijven van een maatschappij waar ik niets meer mee te maken heb?'

'Wetenschappelijke interesse?'

'Daar heb ik mijn studenten voor. Dus maak je nuttig en vertel me eens wat over deze Lister.'

'Hij is een van de grondleggers van de bacterietheorie.'

'Wat moet ik me daar nu weer bij voorstellen?'

'Bacteriën zijn in essentie ontzettend kleine organismen –'

'Ik weet wat bacteriën zijn, Studente.' Ik had nu al spijt dat ik de vraag had gesteld.

'Sorry, sorry. De theorie is nu in elk geval dat zij de reden zijn van de meeste ziekten en dat we ons daartegen kunnen beschermen door onze handen grondig te wassen voor en na een dissectie bijvoorbeeld.'

Ik rolde met mijn ogen. Elke jonge dokter vond tegenwoordig dat hij het medische landschap radicaal moest veranderen en hoe vreemder zijn hypotheses klonken, hoe beter hij ze verkocht kreeg.

'Wat een vergezochte theorie. Ziekten verspreiden zich door miasma.'

'Slechte lucht verklaart niet alles, Dokter. Trouwens, er is bewijs. Het aantal kraambeddoden is dramatisch gedaald in een Weens ziekenhuis omdat de dokter daar iedereen opdroeg de handen te wassen na een dissectie. Lucht laat zich niet wegwassen, hoor.'

Ik was even stil. Mijn eerste instinct was om de theorie als lachwekkend af te doen en vast te houden aan wat ik altijd had geleerd, dat ziekte in de lucht zat en daardoor anderen kon besmetten. Maar is dat niet wat alle dokters deden? Weigeren om iets nieuws te aanvaarden, ondanks het bewijs dat wordt geleverd? Onze zelfwaarde kan het niet aan dat we iets verkeerds zouden hebben geleerd en geloofd, want dat zou betekenen dat we zomaar alles geloven wat ons verteld wordt.

Dus nam ik op dat moment de bewuste beslissing om niet verder in discussie te treden en het argument dat ze me gaf te accepteren. Zo'n insignificant moment, en toch een grote stap in mijn hoofd. Om toe te geven dat ik niet alles weet. Om te accepteren dat anderen ooit mijn plaats zouden innemen. Het voelde alsof ik een stukje groeide op dat moment, ook al was het wat laat om nog veel groeicapaciteit te hebben. Misschien was het omdat ik me nooit zo oud voelde in het bijzijn van de Studente.

Toch waren er momenten dat ik met heimwee terugdacht aan mijn jeugd. Toen ik nog studeerde waren er dagen dat ik in een roes van productiviteit verkeerde. Ik sliep niet, at en dronk amper, waste me niet en had geen contact met andere mensen. Maar het werk dat ik op zulke dagen gedaan kreeg was onvoorstelbaar. Het was godverdomme magisch. Mijn doodvermoeide brein maakte connecties die ik daarvoor niet zag en mijn nota's konden verschillende boeken vullen. Meestal eindigde zo'n werkmarathon met uitgaan, mezelf lam zuipen met goedkope gin, een meisje ruw nemen in een steeg, thuiskomen en twee dagen slapen.

Hoe vanzelfsprekend die routine toen was, zo zeer mis ik haar nu. Mijn beste uren waren altijd 's nachts, de uren voor het licht werd. Dan werkte ik als een bezetene en sliep erna twee uur om nog op tijd in de les te zijn. Nu werk ik nog steeds 's nachts het beste, maar moet ik dat compenseren door te slapen tot in de namiddag. Hoe deprimerend.

De Studente moedigde me aan om me beter te verzorgen. Ik had altijd mijn best gedaan om mijn lichaam fit te houden, maar ik was van nature een luie man en lichaamsbeweging maakte weleens plaats voor een goed boek of lekker eten. Haar prachtige lichaam onder mij uitgestrekt motiveerde me echter om meer te bewegen. Ze had ook de gewoonte ontwikkeld om me stukken fruit voor te zetten wanneer zij dat nodig achtte.

We gedroegen ons als een oud getrouwd koppel, een feit waar ik me regelmatig pijnlijk bewust van werd. Ik wist dat mijn attitude tegenover de Studente problematisch aan het worden was. Ze was een vrouw die het je moeilijk maakte om niet van haar te houden.

De Studente had me verteld wie ze was en dat vergat ik ook niet, maar het werd vaak naar de achtergrond verdrongen. Elke keer dat ze iets menselijks zei of emoties toonde, maakte ik mezelf wijs dat ze minder beschadigd was dan ze zelf dacht. Iedere kus die ze me gaf versterkte die hypothese. Elke tedere aanraking maakte het meer waarschijnlijk.

Maar op het eind van de dag moest ik toegeven dat het slechts mijn verbeelding was. En ik kon niet eens kwaad zijn op haar, want ze had nooit tegen me gelogen. Ze had me gemanipuleerd en mijn gevoelens gebruikt om me onderdanig te maken, maar ze was er zo eerlijk over geweest dat ik haar niets kon verwijten.

In die onderdanige positie werd ik me pas ten volle van mijn gevoelens bewust. Vastgebonden aan haar bed werd ik overspoeld door een weekhartigheid die ik al lang niet meer had ervaren. Ik moest me er fysiek van weerhouden om die gevoelens uit te spreken. Dus trok ik aan het touw rond mijn polsen en liet de pijn me terugtrekken. Ik denk niet dat de Studente mijn tweestrijd opmerkte, ze ging te zeer op in haar eigen spel om aandacht te besteden aan mijn beslommeringen.

Maar die avond had ze me toch tot op mijn breekpunt gekregen. Er waren al enkele uren verstreken, waarin ze me zo meedogenloos had geplaagd en gepijnigd dat ik dacht dat een zachte bries me tot orgasme zou kunnen brengen. Toen ze het eindelijk toeliet was de extase zo groot, zo overweldigend, dat ik niet kon voorkomen dat haar naam uit mijn mond glipte. Niet Studente, maar haar echte naam. De naam die ik wel kende maar nog nooit had uitgesproken. Die haar menselijk en kwetsbaar maakte op een manier die ze niet wenste te ervaren in mijn bijzijn.

Net zoals altijd was ze al bezig met het losmaken van mijn boeien terwijl ik nog aan het proberen was om de controle over mijn spieren terug te winnen. Maar toen ik vrij was voelde ik hoe ze zich terugtrok en me koud achterliet. Haar ogen ontmoetten de mijne en ik zag haar verdrietige blik, alsof ze perfect wist wat ik had bedoeld met dat ene woord. Haar gezicht bestond uit harde lijnen. Ik wist dat mijn gevoelens niet beantwoord werden, maar de bevestiging deed nog altijd pijn. Verliefdheid was iets waar ze niet aan meedeed en ik was naïef om te geloven dat ik degene zou zijn die haar zou veranderen. Ondanks alle waarschuwingen was ook ik gevallen voor de illusie. Net als Anna, net als Charlie. Ze wist dat het ging gebeuren, daar had ze zelf voor gezorgd. Maar ik denk dat ze ergens had gehoopt dat haar Dokter anders zou zijn. Dat hij zich wel kon distantiëren van die slordige emoties. Daar heb ik haar in moeten teleurstellen. Ik hoop dat ze het me kan vergeven.

18. De jeugdigheid

Alhoewel de emotie liefde, bijvoorbeeld die van een moeder voor haar kind, een van de sterkste is in het menselijke vermogen, heeft het geen duidelijke expressie en leidt het niet altijd tot een specifieke actie. Zonder twijfel is het een plezierige sensatie en veroorzaakt het daarom een zachte glimlach en oplichten van de ogen. Er is een sterk verlangen om de geliefde persoon aan te raken, wat de meest voorkomende expressie van liefde is. We willen de mensen van wie we van houden in onze armen kunnen sluiten. Dit verlangen komt waarschijnlijk door de associatie met het verzorgen en opvoeden van onze kinderen of met de wederzijdse aanrakingen van geliefden.

Wij Europeanen zijn het gewoon om onze affectie uit te drukken door middel van kussen. Dit lijkt misschien een deel van ons mens-zijn, maar in werkelijkheid is deze praktijk onbekend in verschillende andere culturen zoals Nieuw-Zeeland, Tahita, Australië en Somalië. Daar wordt het vervangen door andere handelingen zoals het wrijven met de neus, wrijven van de armen, borsten of buik. Mogelijk is het blazen op verschillende lichaamsdelen ook een manier om affectie uit te drukken in andere culturen.

- Expression of Emotions in Man and Animals [3]

De dag was normaal genoeg begonnen: de slaap uit mijn sluimerende lichaam rekken, een licht ontbijt nemen en dan een flinke ochtendwandeling om me ervan te vergewissen dat ik nog steeds jong en mooi en sterk was. Vervolgens een bad om het zweet van mijn lichaam te spoelen en pas dan kon ik me weer met recht de Studente noemen.

Het was alsof ik in dit huis mijn alter ego kon zijn. Niet zo-maar een meisje met een dwaze droom om ooit deel uit te maken van de elite, maar een studente – neen, dé Studente – die op dit moment, terwijl de zon door de ramen lekte, belangrijk was voor een andere persoon. Het leven laat zich niet vatten in hoeveel tranen er om je worden gelaten als je sterft. Het laat zich voelen in de kleine momenten waarin je een band kunt opbouwen met een andere persoon en weet dat jullie toen elkaar hadden, hoe het in de toekomst ook afloopt. Dat als er iets zou gebeuren met de ene, de andere zou rouwen. En ook al waren jullie in de loop der jaren onherkenbaar voor elkaar geworden, je zou rouwen om wat je eens had.

Hij dacht dat ik het niet zag, maar ik wist dat de Dokter zijn eigen herinneringen aan het maken was. Zoals twee ooggetuigen die dezelfde misdaad gadeslaan en een heel andere verdachte beschrijven, zo creëren ook wij twee verschillende interpretaties van dezelfde gebeurtenissen. Zijn houding tegenover mij was al lang aan het veranderen, sinds het voorval met de zoon van de drogist, maar nu was het pijnlijk duidelijk. Zijn toon was zachter, zijn beledigingen minder frequent en zijn overgave groter. Hoe hard we ook proberen, onze emoties halen ons altijd in. Hij was verliefd aan het worden en er was niets dat ik eraan kon doen.

Maar het was de Studente van wie hij hield. Dat mooie meisje met al haar tekortkomingen dat in zijn ogen perfectie had bereikt. Ik wist dat hij me nooit zou kunnen zien voor wie ik werkelijk was. Ik weet zelf niet eens wie ik ben en eigenlijk wil ik het ook niet weten. We zijn hoe we ons voordoen. Als we maar lang genoeg een masker dragen zal het uiteindelijk niet meer te onderscheiden zijn van ons ware gezicht. Sinds ik uit het huis van mijn stiefvader was ontsnapt heb ik geprobeerd om me los te schudden van mijn verleden. Ik speelde mijn rol goed en met overtuiging en ik dacht dat dit voldoende was. Maar in werkelijkheid heeft het toneelspelen me mee gevormd tot deze karikatuur.

Op een avond lag ik naast de Dokter, die al een tijdje lag te snurken, met een gevoel van rusteloosheid in mijn botten. Uiteindelijk glipte ik uit het warme bed, draaide mezelf in een deken, stak de lamp op het nachtkastje aan, en nam hem stilletjes mee de trap af. Het was fris buiten, maar niet ondraaglijk. De koude lucht verzachtte het koortsige gevoel dat onder mijn huid lag. Ik zette de lamp voorzichtig naast me neer, erop lettend dat het zwakke kaarsvlammetje niet doofde, en spreidde het deken uit op het vochtige gras.

Met niets tussen mij en de open hemel, voelde ik mezelf tot rust komen. We zijn zo insignificant, vergeleken met wat er zich boven ons uitstrekt, dat het belachelijk lijkt om ons zorgen te maken over kleine dingen.

Genietend van de heldere sterrenhemel, merkte ik eerst niet dat ik niet meer alleen was. De Dokter stond in de deuropening, ogen dichtgeknepen van vermoeidheid. Ik dacht dat hij iets zou zeggen, misschien vragen om terug naar bed te komen, maar in plaats daarvan kwam hij naast me liggen op het deken.

'Aan Anna aan het denken?' vroeg hij.

'Onder andere.'

Ik glimlachte naar de sterren. Het voelde bijna alsof Anna hier naast me lag, zoals vroeger. Dat gaf me de moed om hem te confronteren.

'U bent verliefd op me aan het worden.'

Ik voelde zijn lichaam lichtjes verstijven, maar verder liet hij uit niets blijken dat hij verwonderd was door mijn woorden.

'Goed opgemerkt.'

'U weet dat we nooit een toekomst zullen hebben.'

Het was bedoeld als vraag, maar ik was niets nieuws aan het vertellen.

'Dat weet ik. Maar het houdt me niet tegen om toch om je te geven.'

'Ik zal u pijn doen.'

'Zonder twijfel. Maar als de liefde ons al geen pijn meer mag doen, wat dan wel?'

'Stoort het u niet dat ik uw gevoelens nooit zal kunnen beantwoorden?'

'Ik weet wie je bent en ik verwacht niets. Dit is gestolen tijd. Ooit zal het moeten eindigen en dan zal je uit mijn leven verdwijnen. Ik had het liever anders gehad, maar mijn tijd is voorbij. Het is aan de jonge mensen nu.'

Ik hoorde zijn sarcastische ondertoon in die laatste zin maar liet me er niet door afleiden.

'Ik had het ook liever anders gehad.'

'Is dat een liefdesverklaring?' Nu was de toon ronduit spottend. Zijn vastgeroeste overlevingsmechanismen kwamen in actie.

'Heel grappig. Maar soms heb ik schrik dat dit mijn leven gaat zijn. Dat ik mensen afhankelijk van me maak en ze laat geloven dat ze van me houden, om dan weg te gaan. Ik ga u pijn doen wanneer ik hier wegga en ik weet dat ik Anna ook pijn zal doen, vroeg of laat. Het is onvermijdelijk. Ik wil blijven, maar de gedachte maakt me ziek. Ik wil andere mensen gelukkig maken, maar kan de moed niet opbrengen. Ik voel me gevangen als ik blijf en schuldig als ik wegga.'

'Er is geen enkele reden om je schuldig te voelen. Je bent altijd eerlijk geweest en je hebt niet geprobeerd om mensen van je afhankelijk te maken. Zulke dingen gebeuren gewoon. Verliefdheid en hartzeer gaan hand in hand, dat moet ieder van ons aanvaarden. Jij bent gewoon een weg ingeslagen waarop je beide vermijdt. Het is jouw enige onvolkomenheid als dokter. Liefde is een mysterie voor je.'

Liefde is inderdaad een mysterie. Ik ben bekend met de liefde die ik voor mijn moeder voel, ik kan meeleven met de passionele relaties in boeken, maar romantische liefde is iets onbegrijpelijks.

Aan de oppervlakte zijn de Dokter en ik zeer gelijkend. We hebben dezelfde passies, dezelfde waarden in het leven. Maar waar hij werkelijk intens voelt, kan ik enkel het zwakke afkooksel opbrengen. Dankzij boeken heb ik al duizend levens geleid, ik heb honderden keren liefgehad en ben tientallen keren gestorven. Maar mijn brein weet dat dat alles niet echt is. Dat het nooit echt zal zijn.

De Dokter zal dit niet graag lezen, maar ik weet dat hij niet tevreden is met zijn leven en de losse contacten waaruit het bestaat. In zijn hart blijft hij naar liefde zoeken. Nu denkt hij die gevonden te hebben in de vorm van deze Studente. Hoe snel fundamentele waarheden worden vergeten in het rozige licht van verliefdheid.

Ik ben gebroken. Ik ben niet in staat om zijn liefde te beantwoorden, zelfs al zou ik dat willen. Zulke passie is me vreemd. Het vormt een gevaar voor me dat ik niet onder ogen kan komen.

De laatste paar maanden voor ik vertrok naar de Dokter waren het ergst. Telkens wanneer ik zag hoe Anna me verliefd aanstaarde, voelde ik me ziek van schuld en afschuw. Sommige dagen stond ik versteld van de moed die ze tentoonspreidde door openlijk van me te houden en andere dagen vond ik haar emotionaliteit afstotelijk. Want enkel zwakkelingen zouden zich zo volledig overgeven aan een andere persoon. Ik durf toe te geven dat die redenering mogelijk foutief is, maar dat betekent niet dat ik die onmacht kan accepteren.

Op zulke avonden bond ik haar net iets steviger vast, beet ik dat klein beetje harder zodat de huid brak en er een paar druppels bloed ontsnapten. Het was enkel die metaalachtige smaak in mijn mond die me dan terug tot rust kon brengen. Dat waren de avonden dat ik pas stopte wanneer de liefde uit haar ogen verdwenen was en vervangen werd door angst.

De Dokter vroeg me een keer of ik ook dominant in bed zou zijn als mijn stiefvader niet in mijn leven was gekomen. Dat is een interessante vraag. Ik kan natuurlijk nooit helemaal zeker zijn van het antwoord, maar instinctief weet ik dat die dominantie altijd al in me zat, ver voor ik seksuele impulsen kreeg. Dat maakte de submissie tegenover mijn stiefvader alleen maar perverser, omdat het zo tegen mijn natuur inging. Net zoals mijn voorliefde voor vrouwen, is ook mijn dominantie onherroepelijk met mijn persoonlijkheid verbonden. Zonder zou ik niet de Studente zijn. Mijn stiefvader heeft veel veranderd, maar mijn identiteit kon hij me niet afnemen.

Mijn liefde voor seks is ook iets wat hij me niet heeft kunnen afnemen. Het heeft me veel moeite gekost om ervan te leren genieten en om nieuwe dingen te durven proberen, maar elke keer voelde als een overwinning. Misschien dat ik zonder mijn stiefvader ook op een onderdanige manier zou kunnen genieten van seks, dat controle hebben niet zo'n noodzakelijkheid zou zijn. Maar ik voel me goed bij de rol die ik speel in bed. Het zijn de momenten dat ik me het meest mezelf voel.

Als ik me voorstel dat ik wel in staat zou zijn tot liefhebben, voel ik enkel benauwdheid. Waar vinden normale mensen de moed om zich zo volledig te geven aan een andere persoon? Dat vroeg ik aan de Dokter.

'Ik denk dat niemand zichzelf zo hoog inschat dat hij beweert daar de moed voor te hebben. De waarheid is eenvoudiger dan dat. We hebben geen keus. De mens is gemaakt om lief te hebben en om pijn te ondergaan. Als je dat kan accepteren, zal je gelukkiger zijn dan de meesten.'

'En wat als ik dat niet meer kan?'

'Dan is dat zo. Het maakt je niet minder menselijk. Het maakt je leven niet minder waard.'

'Hoe kan u daar zo zeker van zijn?'

'Dat kan ik niet. Maar het is wat ik geloof.'

Hij zei dit alsof het de normaalste zaak van de wereld was. Alsof geloven zonder fundering iets logisch was. Als kind geloofde ik in mijn moeder en vader. Voor mij hadden ze het antwoord op alle vragen en waren ze tot alles in staat. Toen ik dat geloof was kwijtgeraakt, geloofde ik in de Dokter om met zijn woorden alles beter te maken. Maar nu ook dat geloof is weggevallen, weet ik het niet meer. In wat geloof ik nu? Het is een vraag waar ik geen antwoord op heb.

Soms stel ik me voor dat ik niet deze gebroken vrouw ben. Dan denk ik aan een kind dat haar hele jeugd door haar moeder is opgevoed. Een vrolijk en onschuldig meisje. Iemand die een passie heeft voor wetenschap en zo snel mogelijk geneeskunde wil gaan studeren. Daar ontmoet ze een ander meisje dat haar doet beseffen wat ze eigenlijk altijd al geweten heeft: dat ze nooit met een man zal trouwen. Dat meisje, Anna, wordt haar eerste liefde en samen ontdekken ze alles. Ze merkt dat ze echt van Anna houdt, dat ze de rest van haar leven met haar wil spenderen.

Na haar studies is het moeilijk om werk te vinden, maar uiteindelijk kan ze toch beginnen in een ziekenhuis. Haar relatie met Anna moet geheim blijven, al belet hun dat niet om geluk te vinden bij elkaar. Geleidelijk aan vertelt ze bepaalde mensen in hun vriendenkring over de relatie en merkt ze dat de meesten er minder problemen mee hebben dan ze vreesde. De anderen accepteren simpelweg dat ze een carrièrevrouw is die niet wilt trouwen.

Naarmate de jaren verstrijken, verandert haar liefde voor Anna. Het wordt minder vurig en stolt tot een solide fundering. Het wordt iets waar ze onvoorwaardelijk op kan rekenen. Ook al maken ze regelmatig ruzie over haar lange werkdagen, op het einde van de dag staat Anna voor haar klaar. En in plaats van benauwdheid voelt ze enkel gelukzaligheid.

Zo had het kunnen zijn. Zo had mijn toekomst er kunnen uitzien.

Misschien zal ik ooit iets dergelijks bereiken. Misschien besluit ik toch bij Anna te blijven. Omdat zij van mij houdt en omdat die liefde wel genoeg zal zijn voor ons beiden. Misschien trouw ik met een man en sticht ik een gezin. Dan probeer ik om mijn kinderen alles te geven wat ik niet heb gehad. Want is dat niet de enige manier waarop we onze fouten kunnen uitwissen?

Het waren Anna's vrienden die me even deden hopen dat ik misschien toch nog een normaal leven zou kunnen leiden. Zij hadden me meteen opgenomen in hun vriendengroep, met een vanzelfsprekendheid die ik niet kon begrijpen. Bij hen konden we elkaar kussen zonder de vrees om gearresteerd te worden. Bij hen moest ik niet op mijn woorden letten. Anna heeft me niet alleen een nieuwe kans gegeven, maar ook een nieuw leven. Daarom voel ik me ook zo schuldig wanneer ik aan haar denk en aan de pijn die ik haar ga berokkenen.

Door kinderen te krijgen zou ik de cirkel kunnen doorbreken. Die gedachte vervult me zowel met opwinding als met angst. Ik denk dat ik het zou kunnen. Een vals leven voor mezelf opbouwen, een nieuw masker opzetten als liefdevolle echtgenote. Maar zou ik van mijn kind kunnen houden? Wat als het helemaal geen gevoelens bij me opwekte? Wat als ik het dan nog steeds gemakkelijker vond om niets te doen?

Er zat een meisje in mijn jaar dat me altijd is bijgebleven. Ze was op geen manier specialer dan de andere vrouwen in onze klas. Ze las graag, maar was vooral sociaal en dartelde door het leven zoals alleen meisjes dat kunnen.

Datzelfde meisje heb ik later zien veranderen. Haar lach werd zeldzamer en haar gedartel kreeg een onzekere tred. En naarmate ze stiller werd, begonnen minder mensen haar op te merken. Ze probeerde zichzelf onzichtbaar te maken en slaagde daarin. Er zullen zeker klasgenoten geweest zijn die dezelfde veranderingen hebben opgemerkt, die hebben geprobeerd om met haar te praten. Maar zij beseften niet wat er achter haar stilte zat. Ze zagen niet wat er achter het masker lag dat zich aan het vormen was. Ik zag het wel, als stille toeschouwer. Ik zag de pijn en de angst. De ketens die haar tegenhielden om haar vrijheid terug te zoeken. Ik herkende mezelf in dit meisje. Maar ik deed niets.

Het is zo gemakkelijk om niets te doen. Voor haar was het niet enkel makkelijk, het was het enige wat ze zich kon inbeelden. Niets doen en proberen te overleven. Zo was het ook voor mij. Ik kon het niet opbrengen om haar te helpen. Misschien omdat ze me te veel aan mezelf herinnerde, aan mijn vroegere zwakke zelf, of misschien omdat ik gewoon niet de energie had om nog een gebroken leven op mij te nemen.

Op een dag kwam ze niet meer naar de lessen. Het duurde even voor onze studiegenoten zich begonnen af te vragen wat er met haar was gebeurd. Stille mensen worden zo snel vergeten in een stad als Londen, waar het gemakkelijk is om jezelf te verliezen als je niet oppast.

Ik was niet verbaasd toen de professor het nieuws kwam brengen dat de politie een levenloos lichaam uit de Thames had gehaald. Ik dacht: dit had mijn lichaam kunnen zijn. Al had ik nooit zo kunnen zwichten. Hoe diep ik ook heb gezeten in mijn jeugd, dat is nooit een optie geweest voor mij. Ik heb veel nagedacht over de dood en over zelfmoord. Maar in plaats van een doodswens is er eerder een achteloosheid voor mijn leven ontstaan. De gedachte dat als mijn tijd komt, ik het zal omarmen. De dood kan niet veel erger zijn dan het leven. Het is gewoon een einde. Enkel de mensen die achterblijven kunnen het concept van sterven werkelijk begrijpen.

Toen ik het nieuws van haar dood te horen kreeg, werd ik even overweldigd door een gevoel van haat voor dat meisje. Terwijl zij de gemakkelijke uitweg had gekozen en niets meer moest voelen, bleef ik achter met mijn gestolen dagen en probeerde ik een persoon op te bouwen uit de stukken die overbleven. Misschien was mijn passiviteit ook een vorm van wraak.

Wraak is geen vreemd concept voor me. Pas toen ik mijn eigen onafhankelijkheid had teruggenomen en zelf keuzes kon maken, merkte ik hoeveel ik had gemist in die lange jaren van angst en eenzaamheid. Nadat de opluchting was gepasseerd en ik gewend raakte aan mijn nieuwe leven, kwam de woede. Ik was geen persoon geweest in de ogen van mijn stiefvader en lang heb ik de wens gehad om ook zijn menselijkheid af te nemen.

Ik stelde me dan voor dat hij vastgeketend zat aan de vloer, niet meer in staat om recht te staan of te praten. Misschien zou ik hem laten drinken van een kom, enkel laten eten van de restjes die ik hem gaf. Misschien liet ik hem urineren tegen een boom en slapen op de harde grond. Dan kon ik hem even ruw behandelen als hij met mij had gedaan.

Elk detail dat mijn wrede brein verzon, voedde deze drang naar vergelding en wakkerde mijn kwaadheid aan. Maar uiteindelijk heb ik moeten inzien dat het zinloos was. Dat ik beter mijn leven weer kon opbouwen en hem dat onder zijn neus wrijven. Hem tonen dat sommige mensen wel iets van hun leven kunnen maken en niet eindigen als een perverse dronkenlap.

Je zou kunnen zeggen dat ik mede verantwoordelijk ben voor de dood van het meisje uit mijn klas. Niet zoals de persoon die haar tot zulke wanhoop had gedreven natuurlijk, maar ook niet onschuldig. Want niets doen kan even erg zijn als iets doen.

Ik kan niet oprecht zeggen dat ik me schuldig voel. Misschien maakt dit van mij een slecht persoon. Waarschijnlijk maakt het me eerder een eerlijk persoon. Ik ben een overlever. Dat is de identiteit die ik voor mezelf heb gemaakt en wat ik me moet voorhouden in de moeilijke momenten. Om te overleven mag ik me niet laten verlammen door angst en schuldgevoel zoals ik dat eens wel deed.

Ik vraag me af wat de Dokter nu van me vindt. Ik vermoed dat hij hetzelfde zou hebben gedaan als ik. Hij staat nu eenmaal niet bekend om zijn dapperheid. Maar bij hem zou dat schuldgevoel nooit helemaal weg zijn. Het zou aan hem knagen op momenten dat hij het niet verwacht. Zulke dingen raken mensen nu eenmaal harder dan ze op voorhand kunnen vermoeden.

Ook ik zal me dat meisje altijd blijven herinneren, maar eerder als een les aan mezelf. Een waarschuwing dat ik niet alle sociale connecties mag verliezen. Dat ik menselijk moet blijven. Misschien is dat wel mijn grootste angst. En het geloof waar ik me aan moet vasthouden. Dat ik – ondanks alles – mijn menselijkheid kan behouden. Ik hoop dat het waar is.

19. Het einde

De eerste echt mooie dag die week was toevallig ook het moment dat de Studente welgeteld drie maanden in mijn gezelschap vertoefde. Dat was een waar record. Ik dacht aan een manier om dit te vieren. Wilde seks leek een goed antwoord. Een glas rode wijn ging daar mooi bij.

Als ze terug was van haar wandeling en naar gras en vers zweet rook, zou ik het voorstellen. Ik kon me al helemaal inbeelden hoe ze zou reageren. Die halve glimlach, het achteruitstrijken van haar lange haren om haar lichaam aan me te tonen en de woorden 'we zien wel' om de spanning naar behoren op te bouwen.

We zouden vervolgens elk iets anders doen, misschien een boek lezen of gewoon wat loom in de tuin liggen terwijl de zon op onze huid brandde. Tot een van de twee er genoeg van had en de eerste stap zette. Dan zouden we in bed belanden, of misschien op de sofa, of misschien gewoon in de tuin. We zouden het rustig doen, bijna lui, want er mag geen haast achter zitten op zo'n mooie dag. Achteraf zouden we gewoon blijven liggen, omdat het simpelweg te vermoeiend was om op te staan.

Maar de Studente was laat.

Haar wandeling tot in het dorp en terug kostte haar meestal een klein uur, de boodschappen niet meegerekend. Na twee uur wachten besloot ik de fles wijn alleen te openen, ook al was het eigenlijk te vroeg om alcohol te drinken. Na drie uur besloot ik dat ze van mij geen wijn zou krijgen en toen de klok twee uur in de namiddag sloeg begon ik te bedenken wat ze allemaal zou kunnen doen om het goed te maken. De resultaten waren bevredigend en ik keek nog meer uit naar haar terugkomst.

Een uur later glimlachte ik niet meer. Een zorgelijk gevoel spande als een band rond mijn borstkas. In mijn hoofd hoofd woedde een strijd tegen de klok en de klok was aan de winnende hand. Die klok zei me dat de Studente niet zonder reden zes uur zou wegblijven. Die klok keek me spottend aan en zei dat ik het had moeten zien aankomen. Ze was drie maanden gebleven, maar wat deed ze hier nu werkelijk? Wat kon mijn gezelschap betekenen voor een jonge vrouw? Ze was me eindelijk beu geworden en had het niet nodig gevonden om afscheid te nemen. Het stond me zo duidelijk voor ogen: de Studente met haar koffer op de stoep en een kleine glimlach die rond haar mond speelde omdat ze eindelijk weg kon gaan. De geest kan wrede dingen bedenken.

De zon was zijn hoogste punt al lang gepasseerd maar ik bleef aan de keukentafel zitten, onzeker van wat ik nu moest doen. Ik had nooit aan het afscheid van de Studente gedacht. Ze had een manier om je in het nu te laten leven, zodat de toekomst er niet meer toe deed. Maar nu liet de toekomst zich weer zien. Donker en onvoorspelbaar lag ze als een grote schaduw voor me.

Toen ik een geklop op de deur hoorde, schoot ik uit mijn mijmeringen. Een kinderlijke opluchting greep me vast. Daar was ze weer. Nu zou ik horen waarom ze zo laat was en dan zou alles weer verder gaan zoals daarvoor.

Maar het was niet de Studente voor de deur.

Het was het onheilspellende zwart dat onverwacht iemands leven binnentreedt en het overhoop gooit. Twee mannen in uniform met een droevig gezicht die je een stoel in je eigen huis aanbieden. Ik hoorde hun woorden maar de betekenis ervan drong niet tot me door. De toon die ze gebruikten was onzeker medeleven, met een residu van de shock die ze eerder die dag zelf hadden ervaren. Deze agenten van een klein dorpje waar nooit iets gebeurde. Ik voelde dat het te laat was. Dat ze niet van het ziekenhuis, maar van het sterfhuis kwamen. Langzaam drong de impact van hun nieuws tot me door.

De Studente was er niet meer.

Om die zin gewoon nog maar te denken, om hem te hebben ronddrijven in mijn chaotische brein, was ondraaglijk. Het kon niet, want jonge vrouwen stierven niet zomaar. Dit was een wrede grap, een uit de hand gelopen weddenschap na een dronken nacht in de pub. Laten we de Dokter eens doen schrikken! Maar niemand kwam me zeggen dat het niet echt was. De Studente kwam niet plots de kamer binnen, uitbundig lachend omdat de schok zich duidelijk op mijn gezicht moest hebben geregistreerd.

Na een tijdje realiseerde ik me dat een van de agenten me taxerend aankeek. Hij had een vraag gesteld, maar ik was al lang gestopt met naar hem te luisteren. De klok die me eerder zo spottend had bekeken was het enige dat ik hoorde. Dat langzame getik leek almaar luider te worden. Ik probeerde de zin te verwerken die zich in mijn hoofd bleef herhalen. De Studente was er niet meer. Ze was er niet meer. Ze zou nooit meer terugkomen.

Het waren onmogelijke woorden. Zo onmogelijk dat ik er

haast mee moest lachen. Dit was gewoonweg absurd. Maar de blik in de ogen van de agent vertelde een ander verhaal.

In mijn hoofd drong de Studente zich op. Haar volledigheid sloeg de adem uit mijn longen en ik bedacht me dat ze niet weg kon zijn, want ik had haar deze nacht nog aangeraakt. Nog geen twaalf uur geleden had ze naast me gelegen als een levend wezen met kloppend hart en warme adem.

Met alle macht die ik bezat duwde ik die gedachten weg en dwong mezelf om me te concentreren op de agent. Ik probeerde terug lucht in mijn onwillige longen te forceren en wist hem eindelijk te vragen: 'Pardon?'

'Ik vroeg of u toevallig de contactgegevens van haar familie hebt. Ze moet geïdentificeerd worden, begrijpt u.'

Het kostte hem moeite om die woorden uit te spreken. Ze bleven wat achter op zijn tong, onzeker van de impact die ze zouden hebben. Ik vroeg me af of hij haar gezien had. Die prachtige jonge vrouw, gereduceerd tot een identificeerbaar lijk op een tafel.

Maar ik wist nog altijd niet hoe ze in die toestand was geraakt. Ik had geen woord gehoord van wat de man eerder had gezegd. De agent keek me nog steeds ongerust aan. Hij wachtte tot ik ging instorten, besefte ik. Maar dit was niet de plaats of de tijd daarvoor. Wederom probeerde ik het paniekgevoel dat in me opborrelde te onderdrukken en me te concentreren.

De Studente bestond niet voor de komende minuten of uren, hoe lang het ook duurde om deze man de deur uit te krijgen. Want als de Studente niet bestond, kon ze ook niet sterven en als ze niet kon sterven zou ik niet gereduceerd worden tot het zielige hoopje mens dat ik in snel tempo aan het worden was.

Dus keek ik de agent aan met een vastberaden blik.

'Ik ga even zoeken. Mag ik vragen, meneer, wat er met haar gebeurd is?'

De man keek me vreemd aan, maar dit was niet het moment om me te verontschuldigen voor onoplettendheid.

'Een stom ongeluk, meneer. Twee paarden van de postkoets waren op hol geslagen op het moment dat de juffrouw de straat aan het oversteken was. Er kon niets meer gedaan worden.'

Ik had mijn contactenboek al vast en zag tot mijn afgrijzen hoe mijn handen trilden. Vlug legde ik het boekje terug op tafel.

'Ik heb een borrel nodig. U ook eentje?'

Hij schudde nogal verbaasd zijn hoofd. Ach. Een man meer of minder die denkt dat de Dokter zijn verstand heeft verloren zal het verschil niet maken.

Ik schonk mezelf een genereuze portie scotch in en leegde die in één teug. Het brandende gevoel in mijn keel hielp me focussen. Ik zocht haar naam op in het boekje en vond het adres van haar moeder. Ik gaf het aan de agent en vroeg hem vriendelijk of hij me alleen kon laten. De bewegingen waren automatisch, de toon van mijn stem geforceerd. Maar hij begreep het en liet me alleen met een zwaarwichtige hoofdknik.

Zijn houding ontspande merkbaar toen hij samen met zijn collega de deur achter zich kon dichttrekken. Hij had zijn plicht vervuld en kon dit huis met haar verstikkende sfeer verlaten om het hele gebeuren achter zich te laten. Dat was eens mijn leven. Ik kreeg de meesten van mijn patiënten pas te zien wanneer ze dood waren. Ik begreep het verdriet van anderen, maar kon aan het eind van de dag met een opgelucht gevoel gaan slapen omdat ik niet door zulke smarten was getroffen.

Nu was er geen mogelijkheid tot ontsnappen meer. Het verdriet zat in mij, wachtend tot ik de strijd zou opgeven en het mijn lichaam zou laten overheersen. Na het vertrek van de agenten kon ik mezelf als het ware vanop een afstand aanschouwen. Ik zag een oude man die was gebogen tot het breekpunt en ik wist dat het onvermijdelijk was. De pijn zou komen en er was niets wat ik eraan kon doen.

Zo bracht ik de rest van mijn namiddag door: aan de keuken-tafel, wachtend tot de overweldigende absurditeit van de situ-atie zou afnemen. De Studente zou met haar ogen rollen als ze me nu zag, zou me beschuldigend wijzen op mijn ouderdom. Ik sloot mijn ogen en liet mezelf toe om me voor te stellen dat ze op dit moment door de deur zou stappen.

Ze zou eens goed lachen wanneer ze hoorde dat iemand haar dood was komen aankondigen. Ze zou er een prachtige ironie in zien en ik zou het 's avonds kunnen lezen in haar schrijfsel. Later op de avond zouden we dan vrijen en zou ze in mijn oor fluisteren dat ik haar moest nemen alsof ze werkelijk was gestorven en ik de enige was die haar nog tot leven kon brengen. Ze zou me omsluiten met haar lange benen, langge-rekt klaarkomen en dan gewoon verder gaan. Omdat het kon, omdat ze jong was en haar hele leven nog voor zich had.

Maar toen ik mijn ogen weer opende was de keuken even leeg en stil als daarvoor. Ik ben nooit bang geweest van stilte, maar op dat moment was het ronduit angstaanjagend. De stil-te betekende dat ik opnieuw alleen was. Niet zomaar alleen, maar verlaten.

Op een gegeven moment is het weer licht geworden, maar dat merkte ik pas toen opnieuw op de deur werd geklopt. Recht-staan voelde als een enorme krachtinspanning en ik had de energie niet om zelfs maar iets te zeggen toen ik de deur opende. Er stond een boodschapper op me te wachten met een urgent telegram. Ik wou de deur sluiten, maar de jongen drong aan dat ik hem meteen een antwoord meegaf. Met een zucht liep ik naar binnen om het ding te lezen.

Het kwam van de stiefvader van de Studente, met de vriendelijke vraag of ik haar bezittingen wou opsturen naar hun adres. Het was erg formeel, behalve de laatste zin, die waarschijnlijk was toegevoegd door de moeder. Daarin vroeg ze me of ik zou willen spreken op haar begrafenis, aangezien ik haar zo goed had gekend in de laatste maanden van haar leven.

Die woorden. De maanden die pas de dag ervoor haar laatste waren geworden. Ze hadden het begin moeten zijn. Het begin van een schitterende carrière. Maar nu waren ze gereduceerd tot de laatste maanden en niets meer.

Ik wist niet wat ik met die vraag aan moest. Wetende dat er iemand op mijn antwoord stond te wachten, probeerde ik me voor te stellen wat de Studente had gewild. Ik zag haar als het ware voor me staan, met een opgetrokken wenkbrauw. Alsof ze wou dat ik de uitdaging aanging.

Ja, de Studente zou graag gehad hebben dat ik op haar begrafenis sprak. Het zou passen in haar dramatische levensfilosofie. Ze zou lachen om mijn stuntelige poging om iets treffends te schrijven dat er waarschijnlijk slechts arrogant zou uitkomen.

Ik schreef vlug een antwoord op de achterkant van het telegram en gaf hem terug af aan de jongen, die meteen vertrok. Iets zei me dat hij zich even ongemakkelijk voelde als ik.

Hoe ik de Studente in godsnaam zou moeten samenvatten in een eulogie wist ik nog niet. Ze zou zichzelf moeten beschrijven. Ze hoorde hier nu naast me te zitten en neer te schrijven wat ze die dag had meegemaakt. Misschien had ze dan verteld dat ze die ochtend net niet onder een paard was te-rechtgekomen, dat ze in de toekomst beter moest kijken voor ze de straat overstak. En dan had ze zacht gelachen, want de mogelijkheden van dit bestaan waren eindeloos.

Maar het toeval was in haar nadeel geweest en zij en dat paard waren op dezelfde plaats op hetzelfde moment. Haar lichaam was onder de trappelende hoeven geraakt, als een lappenpop, gebroken op meer manieren dan een mens aankon.

De Studente die nooit als dokter zou werken. Het meisje met zoveel mogelijkheden die te vroeg werd weggenomen en onvermijdelijk in de vergetelheid verdwijnt. Het is ieders lot en niemand kan eraan ontsnappen. Ieder van ons is zo uniek, maar allemaal smelten we even snel weg uit het collectieve geheugen. Allemaal zijn we gedoemd om vergeten te worden.

Zovelen bereiken nooit hun volledige potentieel, ze sterven als onbekenden omdat ze te bang of te lui of te arm waren om iets te maken van hun leven. De Studente besloot om de straat over te steken en tekende daarmee haar doodvonnis. Geen schrijfsels meer, geen carrière, geen toekomst.

Ergens in dit land, stelde ik me voor, ligt een jonge vrouw te slapen met een onschuld die niet geëvenaard kan worden door een oud lichaam als het mijne. Ze droomt misschien over haar jonge geliefde, die nu al lange tijd weg is. Ze vraagt zich af hoe lang het nog zal duren voor ze haar meisje terug in de armen kan sluiten, wil niet inzien dat de relatie waarschijnlijk nergens heengaat. Ze zal het wellicht nooit weten.

Binnenkort krijgt ze bericht van iemand om te zeggen dat de Studente nooit meer zal terugkomen. Dan zullen de tranen komen, het ongeloof, de pijn. Misschien zal ze als verdoofd zitten kijken naar de lege stoel tegenover haar. Misschien gaat ze wel troost zoeken in de armen van iemand anders, bij haar man of een nieuwe geliefde. Zij zal rouwen om de Studente, om wie ze was en om wie ze had kunnen zijn.

Maar zelfs Anna zal verdergaan met haar leven. Zij heeft niet de littekens die de Studente had en ze is jong en veerkrachtig zoals ik dat al lang niet meer ben. Ze zal iemand anders leren kennen en nog vele variaties op de Studente ontmoeten. Langzaam maar zeker zal de herinnering aan de nonchalante liefde uit haar studententijd zich naar de achtergrond begeven. Haar gezicht zal vervagen en de herinneringen zullen verdund worden. Soms zal een lichte kus haar misschien herinneren aan een bepaalde gewoonte van de Studente, of komt ze plots een passage in een boek tegen waarvan ze weet dat de Studente het geweldig gevonden zou hebben. Maar dat zullen sporadische momenten zijn. Aangename herinneringen als overblijfsel van een pijnlijke ervaring.

Ik, daarentegen, zal niet genezen. Mijn lichaam is oud en versleten en mijn geest volgt met rasse schreden. De harde waarheid is dat mijn leven leeg is. De Studente was niet enkel mijn enige gesprekspartner, ze was misschien zelfs mijn laatste houvast aan een normaal leven. Het enige wat ik nu kan doen is me de Studente blijven herinneren.

Uiteindelijk ben ik die avond toch in bed beland. Ik ben klaarblijkelijk zelfs in slaap gevallen. Zoals dat meestal gaat, duurde het 's ochtends even voor mijn van slaap doordrenkte brein zich herinnerde waarom ik me zo leeg voelde. Het verdriet waar ik me tegen had gewapend, bleef echter uit. Ik heb nog lange tijd in mijn bed gelegen, starend naar het plafond. Er was tenslotte niemand om voor op te staan.

Na het vertrek van een student is het telkens even wennen

aan de eenzaamheid. Maar ik heb me altijd goed kunnen aanpassen. Dus zou ik dat nu gewoon opnieuw doen. Uiteindelijk was zij gewoon een student geweest zoals de anderen. Ook al was ze langer gebleven dan zij, het was niet alsof we werkelijk een relatie hadden gehad, of zelfs maar de kans op een relatie. Ze was toch weggegaan, vroeg of laat. Voor mij zou het geen verschil moeten maken of ze nog leefde. Ik had haar anders ook nooit meer gezien.

De rationalisaties hielpen. Ze hielpen me opstaan en mezelf wassen. Ze zorgden ervoor dat ik propere kleren aantrok en toast en thee maakte. Ik ben altijd een koppige man geweest en op dat moment was ik vastbesloten om te bewijzen aan de Studente dat ik niet verliefd was geworden op haar, dat ik niet aan die zwakheid had toegegeven.

Ik had me nooit kunnen voorstellen hoe vermoeiend het kon zijn om normaal te doen. Ik probeerde mijn routine te herstellen en verder te gaan alsof ze simpelweg vertrokken was. Maar op onverwachte momenten verscheen haar gezicht weer voor me en zag ik mijn handen trillen terwijl ik probeerde een pagina van mijn boek om te slaan. Of dacht ik haar stem te horen en liet ik de tuinschaar in mijn handen bijna vallen. 's Nachts sliep ik niet. In plaats daarvan dwaalde ik door het huis, op zoek naar een bezigheid die me zou afleiden van de leegte.

Na twee dagen moeizaam voortploeteren kwam de doodsbrief. Er zat een klein persoonlijk briefje bij om me te herinneren aan mijn belofte om een eulogie te schrijven. Daarmee brak het laatste koord dat me rechtop hield. Ik kon het niet meer opbrengen om me sterk te houden. Ik was gewoonweg te moe. Ik vroeg me af waarom ik 's morgens nog wakker werd. Ik haalde adem en koesterde een wrok tegen het lichaam dat mijn hart koppig aan het kloppen hield.

De daaropvolgende dagen waren minder scherp. Er waren momenten waarop ik sliep, maar meestal was ik wakker. Soms lag ik op bed, niet wetend hoe ik daar terecht was gekomen, andere keren bevond ik me plots in de keuken. Ik at wat ik het eerst tegenkwam en als dat op was, leed ik honger. Ik waste me niet en dronk zeer weinig op de inhoud van de drankkast na.

Mijn lichaam ging met grote sprongen achteruit en ik genoot ervan met een pervers genoegen. Ik kon altijd zelf beslissen ermee op te houden. Als ik dit maar lang genoeg volhield, zou mijn lichaam vanzelf opgeven. Dat zou uiteindelijk beter zijn voor iedereen. Mijn hele leven had ik weggegooid om mijn trots te behouden en dit is wat ik op het einde ervan had bereikt. Een man die lag te rouwen om een vrouw die hij slechts een paar maanden had gekend.

Het was opnieuw een voorzichtige klop op de deur die me uit mijn stupor haalde. Deze keer was het mijn dienstmeid die op me stond te wachten, om te horen hoe het met me ging. Ze had gehoord wat er gebeurd was en aangezien ik nog niet was langsgekomen om haar terug in dienst te nemen, dacht ze dat er misschien iets mis was. Hierom moest ik even glimlachen. Het sprak van een voorzichtige affectie tussen ons die ik niet eerder had opgemerkt.

Ik liet haar binnen en ze schoot meteen in actie. Terwijl ik me in de stoel aan het raam zette waar de Studente altijd had gezeten, keek ik toe hoe mijn dienstmeid als een wervelwind door de kamers stormde om op te ruimen. Het duurde niet lang voor ze de doodsbrief vond met het bijbehorende briefje. Ze overhandigde hem aan me, vergezeld van een strenge blik en de boodschap dat ik maar beter aanwezig kon zijn als ik werkelijk om dat meisje gaf.

Ik had het zitten uitstellen, dat wist ik. In de hoop dat de datum van de begrafenis voorbij zou gaan terwijl ik dronken op de vloer lag en niet besefte dat ik een belofte had gebroken. Mijn dienstmeid bleef echter koppig volhouden dat ik het aan de Studente verschuldigd was. En ze had gelijk. Dus liet ik schoorvoetend pen en papier in mijn handen drukken en probeerde mijn gedachten in zinnen te gieten.

Ik had niet veel tijd en geen idee wat ik moest schrijven. Ik kon dit maar één keer doen en het zou alles moeten bevatten wat de Studente voor me betekend had. Omdat ik enkel mijn inadequate herinneringen had om me op te baseren, had ze in mijn hoofd al bijna mythologische proporties aangenomen. De slechte dingen zijn altijd zoveel sneller vergeten. Dus probeerde ik niet enkel aan haar talent en schoonheid te denken, maar ook aan de onverdraagzaamheid die ze soms vertoonde en de onverschilligheid waarmee ze de meeste mensen in haar leven behandelde.

Maar het leek me ongepast om haar voor te stellen zoals ik haar had leren kennen. Ik wist niet wie ze was geweest als kind, wie ze was voor de intrede van haar stiefvader of Anna.

Uiteindelijk besloot ik om gewoon te proberen. Gewoon schrijven, doorstrepen, weggooien en opnieuw beginnen. De manier waarop ik vroeger menig avond had doorgebracht toen ik de eerste versie van mijn boek aan het opstellen was.

Wonderbaarlijk genoeg werkte het. Na een tijdje begonnen mijn gedachten zich meer te focussen op een manier die enkel slaap- en voedselgebrek kunnen veroorzaken en kwamen er duidelijkere zinnen uit mijn pen. Het schrijven gaf me het gevoel dat ik terug een doel had in mijn leven, ook al was het zo beperkt. De volgende dag had ik een net papiertje met een eulogie op waarvan ik zeker wist dat de Studente het als waardig zou beschouwen.

De dag van de begrafenis stond ik vroeg op, waste en schoor me en trok ik mijn enige zwarte pak aan. Dit zou de eerste keer zijn dat ik terug in Londen kwam. Maar dat was niet waar ik tegenop zag. Mijn gedachten bleven gaan naar de doodskist die ik te zien zou krijgen. Misschien zou ik zelfs het koude gezicht van de Studente zien en dat zou het einde zijn van mijn ijdele hoop. Dan zou ik zeker weten dat het gedaan was. Dat ze nooit meer terug zou komen.

Toen ik klaar was had ik nog een uur voor ik moest vertrekken, en nam ik een impulsieve beslissing. Voor het eerst sinds haar dood opende ik de deur van haar slaapkamer. Het was alsof ik een verboden ruimte betrad. Verstijfd in de deuropening nam ik alles zorgvuldig in me op. Het bed was nog onopgemaakt. Er stond een glas water op het nachtkastje, samen met het boek waarin ze tot in de helft was geraakt. Op haar bureau lag een stapel papier, klaar om beschreven te worden. Alleen merkte ik plots dat het papier niet onbeschreven was. Mijn voeten droegen me vanzelf naar het bureau terwijl ik probeerde te verwerken wat ik daar zag. De Studente had iets voor me achtergelaten.

20. Een speciale dag

Ik ben nog maar pas wakker, maar het voelt goed om al een paar woorden neer te pennen om deze prachtige dag in te wijden. Het is vandaag exact drie maanden geleden dat ik op uw drempel stond. Er zou geen sentimentele waarde mogen liggen in het herdenken van een ontmoeting die drie maanden geleden plaatsvond, maar toch voel ik me een beetje weekhartig. Tijd is uiteindelijk een relatief gegeven en men zou kunnen beargumenteren dat die drie maanden in ons geval iets belangrijks betekenen. Het is langer dan ik dacht ooit te kunnen spenderen met slechts één persoon en volgens wat u vertelde, is het ook het langst dat een student het ooit heeft volgehouden in uw huis.

Dus misschien is dit wel een gedenkwaardige dag. Misschien gaat het niet tegen onze principes in om het te vieren. Ik vraag me af of u zult weten dat vandaag een speciale dag is. U lijkt sentimenteler ingesteld dan ikzelf, maar met mannen weet je nooit.

De reeks gebeurtenissen en toevalligheden die ons tot hier hebben gebracht is duizelingwekkend als je erover nadenkt. Er had zoveel anders kunnen lopen, mijn leven had zo anders kunnen zijn. Onze toekomst hangt af van zoveel onbeduidende beslissingen. Er bestaan eindeloze variaties op ons bestaan, allemaal afhankelijk van keuzes die we als irrelevant beschouwen. Ik had in een ander gezin geboren kunnen worden en schrijfster kunnen zijn in plaats van dokter. Mijn stiefvader had kunnen sterven in een ongeluk voor hij ons ooit had leren kennen. U had misschien nooit uw boek geschreven en leefde nu ergens met uw vrouw en kinderen in een landhuis.

Maar door duizenden kleine gebeurtenissen en beslissingen zijn we hier geraakt. In elkaars gezelschap voor drie maanden.

U vroeg me eens waarom ik u weigerde te tutoyeren. Ik heb toen geen antwoord gegeven omdat ik u wou frustreren, maar vooral omdat ik niet goed wist hoe ik het moest zeggen. Het geschreven woord is vaak eleganter dan het gesproken woord, dus zal ik het hier voor u proberen uit te leggen.

In mijn adolescentie bent u voor mij de vaderfiguur geweest die mijn stiefvader nooit heeft kunnen zijn. Uw boek was een anker voor me en ik heb altijd naar u opgekeken. Door me als nieuwe student op te geven wist ik dat die idealisering onvermijdelijk zou verminderen. Hoe menselijker u werd, hoe minder perfect u in mijn ogen zou zijn en hoe meer mijn beeld uiteen zou brokkelen. Tot mijn spijt bleek u inderdaad even menselijk als de rest van ons. En menselijker dan ik ooit ben geweest. Maar dat zal me niet verhinderen om vast te houden aan de enige vorm van afstand die nog tussen ons bestaat. Ik geef u mijn lichaam in bed en mijn geest op papier en in de dissectiekamer, maar doorheen dat alles zal ik u blijven aanspreken met de beleefdheid van een vreemde. Dit is de grens van mijn affecties. Dit is alles waartoe ik in staat ben.

Ik weet dat het niet lang meer voldoende zal zijn. Nog even en de onrust zal opnieuw de kop opsteken. Dan wordt het tijd om terug te gaan naar de echte wereld en deze veilige cocon achter te laten. Het zal een moeilijk afscheid worden, zoals alle vaarwels dat onvermijdelijk zijn. Ik verwacht geen tranen aan uw kant, maar ik zal toch uw pijn zien. U bent geen goede leugenaar. En dan zal ik me schuldig voelen dat ik u niet op dezelfde manier zal missen en zonder veel verdriet kan verdergaan met mijn leven.

We hebben beiden onze rol in het toneelstuk gespeeld en het tot een succesvol einde gebracht. Net zoals bij elk paar acteurs dat drie maanden nauw samenwerkt, is er een zekere band ontstaan. Een band die onvermijdelijk zou oplossen in het niets als ze geconfronteerd werd met de realiteit, maar toch eentje die we ons moeten blijven herinneren.

Ik vraag me af hoe u dit zal lezen vanavond. Zal u verbaasd zijn? Opgelucht? Verdrietig? Het zal interessant zijn om te zien. U blijft nog steeds mijn favoriete onderzoeksobject. En dat is een van de weinige oprechte complimenten die ik u kan geven.

Maar nu is het tijd om mijn lichaam in beweging te zetten voor ik me bezweet en vol zin opnieuw in uw persoonlijke ruimte opdring.

Iets om naar uit te kijken.

Epiloog

Lange tijd heb ik daar gestaan met dat blad papier in mijn hand. Haar onverwachte laatste woorden hadden me volledig ontwapend. Ik wist dat er nog iets was wat ik moest doen die dag, maar dat leek niet belangrijk. Uiteindelijk ben ik op haar bed gaan liggen, in de hoop nog een laatste keer haar unieke geur terug te vinden. Met mijn gezicht in het deken geduwd, probeerde ik vervolgens te stoppen met ademen. Omdat het kon, omdat zij dat ook had gedaan. Maar mijn lichaam was slimmer dan mijn rouwende brein.

Ik dacht aan haar lichaam, dat jong en sterk was zoals het mijne ooit was geweest, dat mij had vastgepind op datzelfde bed om me te nemen alsof ik haar eigendom was. Nu werd datzelfde lichaam ergens in de stad begraven door de moeder die te zwak was geweest om haar te verdedigen en de stiefvader die van haar jeugd een nachtmerrie had gemaakt. In mijn hand had ik nog het papier waarop mijn laatste woorden voor haar stonden. De woorden die ik had moeten voorlezen op haar begrafenis. Maar het moment was gepasseerd en ik had me wederom te laf bewezen. Mijn eulogie zal samen met mij het graf ingaan.

Sommige dingen moeten niet gedeeld worden.

Die gedachte trok me terug naar de werkelijkheid. De werkelijkheid waarin ik op haar lege bed lag en machteloos moest toekijken hoe haar geur de lakens verliet om voor altijd verloren te gaan. De pijn die zo lang op zich had laten wachten, was eindelijk gearriveerd.

Ik herlas het stukje dat de Studente voor me had achtergelaten en beeldde me in dat ze het aan me voorlas. Nu kon ik me het geluid van haar stem nog levendig voorstellen, net zoals de lichte frons die ze altijd had als ze iets las. Maar ik wist dat die vanzelfsprekendheden spoedig zouden vervagen uit mijn geheugen.

Toch draait de wereld ondertussen verder. Alsof er niets gebeurd is, want eigenlijk is er niets gebeurd. De aarde is nog net hetzelfde, er worden dagelijks oude hartslagen vervangen door nieuwe. Met de dood van de Studente is er niets veranderd voor de mensen in dit land. Slechts een handjevol rouwt om wat wij zo achteloos zijn kwijtgespeeld. Een moeder die geen troost kan vinden in de armen van de man die gewelddadig bezit heeft genomen van haar dochter. Een jonge vrouw die zich met betraande ogen herinnert hoeveel malen ze de Studente op haar bed heeft zien liggen, in al haar jeugdige schoonheid. En een oude man alleen in een huis dat groter lijkt dan ooit tevoren. Enkel de herinneringen blijven over.

Ik dacht aan alle teksten die ze had geschreven in de afgelopen maanden en die nu stof lagen te vergaren op mijn kamer omdat hun eigenaar hun niet onder ogen durfde te komen. Ze waren een testament aan onze tijd samen, iets dat geëerd zou moeten worden. En plots stond het me duidelijk voor ogen wat ik moest doen. Alsof het idee al langer in mijn hoofd zat, wachtend tot het tijd was om zich bekend te maken.

De dag dat ik de Studente leerde kennen heeft ze ons beiden een naam en een functie gegeven. Ik was de dokter en zij was de student. Maar een persoon is niet enkel zijn beroep. De Studente was veel meer dan een leerling, net zoals ik niet enkel een anatomist ben. We hadden beiden een passie voor literatuur en kunst, al keken we er op een andere manier naar. We zagen beiden de elegantie van het geschreven woord, hoe het de dingen duidelijker en aangenamer maakt. Hoe het harde waarheden kan inkleden tot ze romantisch klinken. Ik heb haar schrijfsels elke dag gelezen en voelde gaandeweg een nieuwe kant van de Studente ontpoppen. Een kant die ze daarvoor nog niet had kunnen ontwikkelen.

Ik heb haar niet de kans kunnen geven die ze verdiende in de medische wereld, ze zou nooit de dingen bereiken waar ze van droomde. Maar ze was niet gestorven zonder iets na te laten. Nu moest de Studente op mij rekenen om haar niet in de vergetelheid te laten verdwijnen. En ik zou haar niet teleurstellen. Ik kon haar in leven houden met woorden, een literair graf voor haar bouwen met mijn eigen handen. Voor het eerst sinds haar dood voelde ik een sensatie van opwinding in me opborrelen. Een reden om 's ochtends op te staan, een bezigheid om de eenzaamheid te bestrijden. Maar ook: mijn eerste echte boek, opgedragen aan en geschreven door de Studente. Het was prachtig.

De weken die volgden schreef ik alsof mijn leven ervan afhing. Ik at en sliep amper, want afleiding was dodelijk. Soms zat ik lange uren te staren naar het papier dat voor me lag. Dan liet ik mijn gedachten voorzichtig los en dreven ze naar alle momenten die ik samen met de Studente had doorgebracht. Haar zachte, capabele vingers op mijn lichaam. Haar lach wanneer ik een grapje maakte. De strenge blik die ze me toewierp als ze een stuk fruit in mijn handen duwde.

Het menselijke geheugen is een verraderlijk iets. Het duurde niet lang voor het gezicht van de Studente begon te vervagen. Ik had geen afbeelding om naar te kijken, geen tastbaar bewijs dat ze werkelijk die ene haarlok had gehad die zoveel blonder was dan de rest, of die kleine moedervlek op haar pols. Was ze echt zo mooi als ik me voorstelde? Of was ik simpelweg de onvolmaaktheden vergeten op het moment dat haar lichaam koud werd?

Soms kon ik me niet herinneren hoe haar huid onder mijn handen voelde en dan kwam dat welbekende gevoel van paniek weer in me op. Maar een moment later keek ik naar haar stoel en zag ik plots weer voor me hoe ze daar altijd had gezeten, met haar benen opgetrokken en spelend met een lok haar. Als ze zo geconcentreerd was, beet ze vaak op haar lip en soms kon ik het niet laten om die gezwollen lip tussen mijn eigen tanden te nemen. Meestal werd dat gebaar van affectie onthaald met een geërgerde zucht en een duw. Die Studente miste ik.

Op momenten dat ik haar niet met rust wou laten, dat ik te zeer verloren was in mijn eigen lust en de overtuiging dat ik haar mocht opeisen, kon ze kwaad worden. Dan schoten haar wenkbrauwen de lucht in en werd een belerende vinger uitgestoken. Haar woorden kwamen meestal hard aan en ze wist waar ze me pijn kon doen. Ook die Studente miste ik.

Toch zijn het vooral de momenten waarop ze mij haar lach toonde die ik koester. Die onbewaakte, volle glimlach die eigenlijk te breed was voor haar gezicht. Als ze lachte, werd ze de persoon die ze had kunnen zijn. Ze was dan – voor eventjes toch – gelukkig en vrij. Die Studente miste ik het meest van al.

We hebben bitter weinig te zeggen over het verloop van ons leven – en al helemaal niet over het einde ervan. Zoveel hangt af van toevalligheden en ongelukken. Dat heeft de Studente meermaals bewezen met haar bestaan. Maar misschien is het leven juist zo waardevol omdat het niet helemaal in onze greep wil blijven, omdat het zich niet laat controleren. Zonder het tragische verleden van de Studente had ze misschien nooit geneeskunde gestudeerd en was ze nooit aan mijn deur gekomen. En zonder haar tragische dood zou dit boek nooit hebben bestaan. Mijn egoïstische kant dringt aan dat ik veel liever de Studente gezond en wel zou hebben in plaats van deze levenloze stapel papier, maar ik weet dat dit een erfenis is waar ze trots op zou zijn. Ze heeft haar wens gekregen. Haar leven is passend geëindigd.

Is een passend einde belangrijker dan de waarheid? De Studente zou zeggen van wel. De waarheid is dat zij nooit om mij heeft gegeven zoals ik om haar, maar dat is niet erg. Wat er ongetwijfeld gebeurd zou zijn in de toekomst is irrelevant geworden op het moment dat de paarden op hol sloegen. Daardoor heeft ze nooit de kans gehad om me te verlaten. Net zoals ze nooit de kans heeft gehad om Anna te verlaten of om haar moeder de waarheid te vertellen. Wij zullen allen haar nagedachtenis blijven eren omdat ze ons niet heeft achtergelaten met de waarheid.

Uiteindelijk zal iedereen dit boek anders interpreteren. Sommigen zullen er een moraal in zoeken en ons beschuldigen van goddeloosheid. Anderen zullen het zien als een liefdesverhaal. Persoonlijk hoop ik dat het u doet stilstaan bij onze sterfelijkheid. We vinden zo zelden iets dat het waard is om over te schrijven. De Studente was dat voor mij. Mensen als zij mogen niet zomaar verdwijnen. Maar als u dit leest en ooit uw gedachten nog eens laat afdwalen naar een meisje dat u zich vaag uit een boek herinnert, dan kan ik voldaan sterven.

De Studente leefde zoals ze schreef, vol overgave en met weinig bekommernis om de toekomst. Haar einde had zo van haar eigen hand kunnen komen. De tragische, bittere wetenschap dat het leven kort is, gecombineerd met de dramatische maar banale manier waarop het is gebeurd. Ook god heeft blijkbaar zo zijn uitspattingen van literair talent.

Dat doet me lachen, want de Studente zou gesteigerd hebben bij de gedachte dat god iets te maken had met haar dood. Dan toch niet de bliksem, antwoord ik haar met een glimlach.

Haar aanwezigheid hangt op dit moment zo sterk in de lucht dat ik het gevoel heb haar te kunnen aanraken als ik moedig genoeg zou zijn om mijn hand uit te steken. Het is bijna tijd om afscheid te nemen, weet ik, maar ik geniet nog even van het geluid van haar stem, zie haar lippen bewegen terwijl ze mijn laatste woorden zacht meeprevelt. En voor even lijkt het alsof ze nooit dood is geweest.

The death of a beautiful woman is unquestionably
the most poetical topic in the world
- Edgar Allan Poe

Bibliografie

1   Alpheus A, *Complete Hypnotism, Mesmerism, Mind-Reading and Spiritualism* (Chicago: M.A. Donohue & co., 1903).

2   Watson A, *A Medico-Legal Treatise on Homicide by External Violence* (Edinburgh: MacLachlan & Stewart, 1842).

3   Darwin C, *The Expression of Emotion in Man and Animals* (London: John Murray, Albemarble Street, 1872).

4   Gray H, and Carter H V, *Anatomy, Descriptive and Surgical* (London: John W. Parker and Son, West Strand, 1858).

5   Butler J, and Jex-Blake S, *Woman's Work and Woman's Culture* (London: Macmillan & co, 1869).

6   Brouardel P, and Benham F, *Death and Sudden Death* (New York: W. Wood & Co, 1902).

7   Neuhof S, *Clinical Cardiology* (New York: The Macmillan Company, 1917).

8   Krafft-Ebing R v, *Psychopathia Sexualis: A Medico-Forensic Study* (New York: Rebman Company, 1886).

1ste druk augustus 2017
2de druk september 2017
Vormgeving binnenwerk: Mulder van Meurs
Omslagontwerp: Mario Debaene
Foto auteur: Patric Wuyts
NUR 301, 332
ISBN 978 94 6001 562 5
D/2017/11.676/363
e-boek 978 94 6001 575 5